Inhalt

Vorspeisen - Orektiká - Ορεκτικά

Salate - Salátes - Σαλάτες

Teig-Pasteten - Píta - Πίτα

Suppen - Soúpes - Σούπες

Gemüsegerichte - Lachaniká - Λαχανικά (vegetarisch und vegan)

Hauptgerichte - Kíria Piáta - Κύρια Πιάτα

Meeresfrüchte - Fischgerichte - Psária - Ψάρια

Kuchen /Gebäck - Loukumádes - Λουκυμάδες

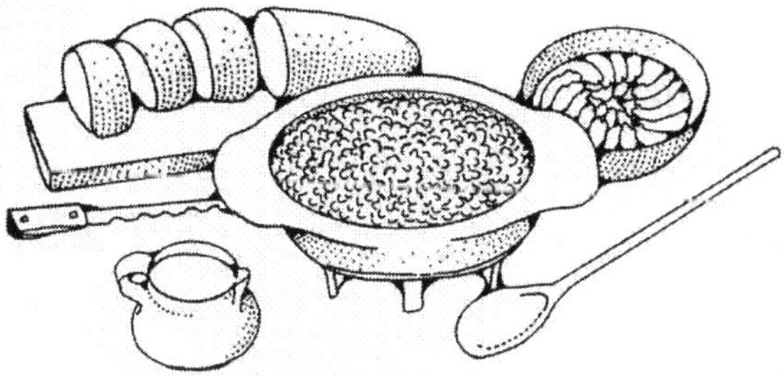

Vorwort

Wie bin ich auf die Idee gekommen, ein griechisches Kochbuch zu schreiben? Vermutlich, weil ich nicht die Köchin bin, die Spaß daran hat, stundenlang am Herd zu stehen, während die Gäste sich nebenan amüsieren. Mir liegt es weniger, ausgeklügelte Rezepte mit mehr als zwanzig Zutaten nachzukochen, um am Ende nur eine Handvoll irgendwas auf dem Teller zu haben, der dafür aber kunstvoll dekoriert ist. Ich verwende gerne einfache Zutaten, und lecker muss es sein. Gemüse liebe ich, und ich mag es, hiervon und davon zu probieren. Kurz, am liebsten habe ich wenig Aufwand, aber ein köstliches Essen, das auch dem Auge etwas bietet.
Und das verkörpert für mich die griechische Küche.

So habe ich angefangen, Rezepte meiner griechischen Schwiegermutter aufzuschreiben und nachzukochen. Meinen griechischen Freundinnen und Bekannten habe ich Rezepte abgeschwatzt, was eigentlich einfach war, weil Essen bei Griechinnen immer ein Thema ist.

Wer den Film „Zimt und Koriander“ kennt, (unbedingt sehenswert) weiß, dass Griechinnen sich geschmeichelt fühlen, wenn andere ihre Rezepte loben und danach fragen. Aber unter Umständen sind sie nicht so begeistert, wenn eine andere ihre Speisen genauso lecker zubereiten kann, wie sie selbst. Daher vergessen oder verwechseln sie gerne schon mal eine wichtige Zutat oder die angemessene Garzeit. Es ist also nie verkehrt, ein ”geschenktes Rezept“ erst einmal zur Probe zu kochen, bevor man es an Gästen ausprobiert.

Als ich damals zum ersten Mal die Sommerküche meiner Schwiegermutter in Griechenland betrat, glaubte ich mich im Paradies. So hätte ich mir eine Küche nicht mal im Traum vorstellen können: Eine Art Pavillon, mit riesigem Holztisch, an dem mindestens 12 Personen Platz finden, eine gemauerte Küchenzeile. Die andere drei Wände offen, mit Blick auf das Haupthaus und in den Ziergarten mit Oliven-, Feigen- und Granatapfelbäumen. Aber das Tollste war der direkt angrenzende Nutzgarten, wie eine paradiesische Speisekammer. Denn hier wuchsen verschiedene Kräuter, Petersilie, Dill, Vlita (Wildgemüse), Tomaten, Gurken, Paprika, Peperoni, Auberginen, Zucchini, Stangenbohnen, Kürbisse und mir bis dahin völlig unbekannte Pflanzen. Der kleine Vorplatz vor der überdachten Außenküche war schattiert durch ein Bambusgeflecht, durch das Weintrauben wucherten.

Meine Schwiegermutter liebt es zu kochen, kein Wunder bei so einer traumhaften „Openair-Küche“. Schon morgens direkt nach dem Frühstück fragt sie: „Was koche ich Euch heute?“ Da mir die griechischen Namen in den ersten Jahren nicht viel sagten, konnte ich zur Entscheidungsfindung nicht viel betragen. Aber der Rest der Familie überschlug sich mit Vorschlägen und Wünschen, sodass oft schon ein Küchenplan für die ganze Woche entstand.

Das erste, was für mich neu war, es gab eine Fülle an Tellerchen und Schüsseln und Platten mit den unterschiedlichsten Leckereien, die in der Mitte des Tisches platziert wurden, und von denen sich jeder seinen eigenen Vorspeisenteller zusammenstellte. Später erfuhr ich, dass man sich, wenn die Familie alleine isst, die Platzteller spart und direkt von den Platten und Schüsseln speist. Aber die Familie ist bzw. isst selten allein. Ständig kommt Besuch Verwandtschaft, Freunde und Bekannte und wenn niemand kommt, kommen die Nachbarn herüber.

Manchmal kommt auch ganz unverhofft jemand vorbei, ein entfernter Verwandter, der zufällig in der Gegend ist, ein Nachbar, der über den Zaun hinweg etwas erzählt, ein flüchtiger Bekannter, der ein Werkzeug bringt, das er vor Monaten ausgeliehen hat, und immer sitzen diese Gäste wenig später in der Sommerküche. Ob Essenszeit ist oder nicht, so wie wir Besuchern Getränke anbieten, wird in Griechenland direkt aufgetischt. Meine Schwiegermutter verschwindet für wenige Minuten in ihrem Nutzgarten, und schon schnibbelt sie Gurkenscheiben auf ein Tellerchen, ein paar Tomaten in eine Schüssel, gibt Oliven, Schafskäse, Gewürze, Kräuter und Olivenöl darüber, zaubert Tzatziki aus dem Kühlschrank und ein paar gefüllte Paprika vom Vortag, stellt den Gasherd an, wendet Zucchini- und Auberginenscheiben in Mehl, brät sie in Öl und in kürzester Zeit, ist die Tischoberfläche mit Tellern und Speisen und griechischen Spezialitäten zugestellt. Mein Schwiegervater findet kaum noch ein freies Plätzchen für Gläser, Retsína und den unvermeidlichen Tsípuro.

Die Mahlzeiten sind weniger Nahrungsaufnahme, als ein geselliges Beisammensein und dauern mitunter stundenlang. Immer stellt irgendjemand später Musik an oder mein Mann hat einen Stick mit seiner griechischen Lieblingsmusik dabei, und dann wird nicht selten in der Sommerküche getanzt.

In meinem ersten Sommerurlaub in Chalkidiki hatte ich den Eindruck, die Griechen tanzen nach jeder warmen Mahlzeit.

Natürlich ist fast immer meine Schwiegermutter als Erste auf der Küchen-Tanzfläche, zieht ihre Tochter oder eine andere weibliche Verwandte mit und da ich auch gerne tanze, schließe ich mich gerne an. Schon nach dem zweiten Lied reihen sich auch die Männer in den (reigenartigen) Tanz ein.

So eine spontane Feier, die als Abendessen begonnen hat, kommt gar nicht so selten vor, und kann bei den angenehm warmen südlichen Temperaturen häufig bis weit nach Mitternacht dauern. Verwundert war ich einmal, als Cousine Georgia damit begann, mehrfach laut „Gia sou Dimitri, chronia polla“ (auf dich, Dimitri, herzlichen Glückwunsch) zu rufen, was einige der anderen Gäste ihr in zeitlichem Abstand gleichtaten. Ich war irritiert über diesen vermeintlichen Brauch, denn ich wusste genau, dass niemand der Anwesenden Dimitri hieß und auch niemand hatte Geburtstag oder Namenstag.
„Du musst wissen“, erklärte mir mein Lieblingsgrieche anderntags, „wir haben auch für griechische Verhältnisse recht laut gefeiert und es ist sehr spät geworden. Die Nachbarn sollten denken, wir feierten Geburtstag im engen Familienkreis, denn sie waren ja nicht eingeladen und sollten sich nicht beleidigt fühlen.“

Ich finde es spannend, andere Kulturen, ihre Traditionen, ihre Geschichte und Sprache kennenzulernen und Hintergründe zu erfahren. Und das möchte ich zusätzlich zu den Rezepten auch an meine Leser weitergeben. Deshalb ist aus dieser Rezeptsammlung ein bisschen mehr geworden.

Als ich zur Schule ging, hatte ich weder in der Grundschule noch auf dem Gymnasium ein ausländisches Kind (um nicht zu sagen, mit Migrationshintergrund) in meiner Klasse. Ich kannte weder Auberginen noch Artischocken oder Zucchini, frische Feigen, Kaki, Kiwi oder Granatäpfel, nicht einmal Paprika.

Meine Kinder hingegen haben Freunde aus Afghanistan, Albanien, Frankreich, Griechenland, Italien, Kroatien, Polen, Tunesien, der Türkei und der Ukraine und ich habe bestimmt noch einige vergessen. Ja, Deutsche Freunde haben sie auch. Wenn wir uns für das Fremde interessieren, es kennen und verstehen lernen, erweitert das nicht nur unseren Horizont und vervollkommnet unseren Speiseplan, sondern bereichert unser ganzes Leben.

Und jetzt wünsche ich allen Lesern spannende Unterhaltung, Spaß beim Selberkochen und guten Appetit beim Essen mit der Parea – und was das ist, werden Sie in diesem Buch auch noch erfahren.

Ihre Ina Coelen-Simeonidis

Vorspeisen – Orektiká Mezédes

Mezédes oder Mezé (Einzahl)

Ein griechisches Essen beginnt mit den Mezedes, so werden die Vorspeisen genannt, die in Griechenland auch zu einem Glas Ouzo (Anis-Schnaps) gereicht werden. Üblicherweise besteht diese Vorspeise aus vielen kleinen Tellern und Platten, auf denen je nach Landstrich verschiedene Köstlichkeiten angerichtet sind.

Dazu gehören zum Beispiel Dolmadakia (gefüllte Weinblätter), Tzatziki, Auberginencreme, Oliven - bevorzugt die aus Kalamata - , mit Olivenöl beträufelte Schafskäsewürfel, gebratene Zucchinischeiben, frittierte Kefalotyri (Saganaki) und gefüllte Champignons und, und, und. Die griechischen Vorspeisen sind so vielfältig, dass sie eigentlich eine ganze Mahlzeit ersetzen können. Die Griechen essen dazu immer eine große Menge Brot - Psomie (meist Weißbrot). Überhaupt essen die Griechen zu jedem Gang Brot dazu, sogar zu ihrem Lieblingsdessert Karpusi (Wassermelone).

Die Griechen trinken dazu bevorzugt Retsina, ein Harzwein, der nach dem zweiten, dritten Glas erst richtig zu schmecken beginnt.

Feinschmecker können auch zu griechischen Weinen greifen, die hier in Deutschland meist noch unterschätzt werden. Immerhin gibt es über 300 griechische Rebsorten, darunter richtige Spezialitäten, die mit europäischen Auszeichnungen versehen sind.

Auf ein gutes Bier (bira) muss man in Griechenland natürlich auch nicht verzichten. Durch König Otto von Bayern wurde im 19. Jahrhundert das deutsche Reinheitsgebot eingeführt. Die erste Brauerei in Griechenland wurde seinerzeit von Johannes Fuchs eingerichtet, und bis 1987 wurde dort erfolgreich das ‚FIX'-Bier gebraut. Besonders beliebt bei Griechen und Touristen ist „Mythos".

Ach ja,
zu Mesédes trinken die Griechen selbst nicht, wie wir glauben, Ouzo - der ist doch „für die besten Freunde" - die Griechen selbst trinken meist Tsípuro. Das ist ein bis zu 60 % starker Tresterbranntwein (mit Grappa zu vergleichen), der nach der Pressung der Maische aus den Resten der Weinreben destilliert und üblicherweise mit Anis aromatisiert wird. Im Epirus und im südlichen Griechenland gibt es Tsípuro auch ohne Anisgeschmack, dort gibt es unterschiedliche Namen für diesen Schnaps, den fast jeder Winzer selbst brennt.

Viele Griechen trinken ihren Tsípuro, genau wie den Ouzo, mit Eis oder Wasser verdünnt. Dann färbt er sich milchig weiß, allerdings nur, wenn er mit Anis gebrannt wurde.

Mein Schwiegervater bringt seine selbstgeernteten Trauben auch zu einem ‚Bekannten' und bekommt von diesem dann in großen unbeschrifteten Plastikfässern mehrere Liter selbstgebrannten Tsípuro - der jedes Jahr anders schmeckt. Ich habe ihn mehrfach probiert. Er zieht mir die Schuhe aus, mein Schwager behauptet, man könne blind davon werden. Ich bleibe lieber bei Ouzo.

Beliebte Mezédes sind:

Soupiá tiganití (Tintenfisch / Sepia) und **Kalamária tiganitá** (Kalamares) in der Pfanne oder auf dem Grill zubereitet.

Soupiá majireftí (gekochter Tintenfisch) ist eine Spezialität. Dazu wird küchenfertiger Tintenfisch bei geringer Hitze so lange gekocht, bis er weich ist und wird dann in einer würzigen Tomatensoße warm serviert.

Gáwros tiganitós (gegrillte Sardellen). Die Sardellen grillen, bis sie gebräunt sind (sodass sie eine schmackhafte Röstnote erhalten) und heiß mit Zitronenscheiben garniert servieren.

Gáwros fúrnu (gebackene Sardellen). Die Sardellen werden im Backofen gegart, sodass sie mehr Eigenaroma entfalten. (Rezept siehe weiter hinten)

Garídes saganáki (Garnelen aus dem Backofen). Garnelen in einer feuerfesten Form mit Olivenöl, gebratenen Knoblauchscheiben und pürierten Tomaten schmoren lassen. Mit gehackter Petersilie bestreuen und heiß servieren.

Fáwa (Mus aus Linsen). Gekochte Linsen werden fein (oder grob) püriert und mit Essig abgeschmeckt. Mit leicht süßlichen Zwiebelringen garniert servieren.

Rewíthia (Kichererbsen). Die Kichererbsen in Tomatensoße schmoren lassen, bis sie weich sind. Mit Kräutern, Dill und glatter Petersilie garnieren und warm servieren.

Beliebt ist auch in Olivenöl gedünstetes Gemüse, wie Aubergine, Paprika, Peperoni, Zucchini.

Flórinis (längliche rote Paprika). Die gesäuberten Paprika solange grillen, bis sich die Haut abziehen lässt. Gepresste Knoblauchzehen beifügen, mit Olivenöl und Essig übergießen und mit Salz und Pfeffer würzen.

Besonders bekannt und beliebt sind inzwischen auch bei uns Tzatzíki und Chtipití.

Tzatzíki

nach einem Rezept meiner Kumbara Dora*

500 g Quark (40%)

300 g Naturjoghurt

3 Knoblauchzehen

Salz

Pfeffer

Essig

Olivenöl

Kräuter nach Geschmack

1 Salatgurke

Quark und Joghurt in eine Schüssel geben und miteinander vermengen.

Die Knoblauchzehen schälen und durch eine Knoblauchpresse hinzugeben.

Die Masse mit Essig, Olivenöl und Salz und Pfeffer abschmecken.

Die Gurke schälen, fein raspeln, abtropfen lassen und hinzufügen.

Am besten schmeckt Tzatziki, wenn er am Vortag zubereitet wurde. So können sich alle Aromen entfalten.

Je nach Geschmack kann man auch Kräuter, z.B. Dill hinzufügen.

**Kumbara bedeutet Trauzeugin. Aber anders als in Deutschland zählen unsere Trauzeugen jetzt zu unserer Verwandtschaft und sind bei jedem Familienfest dabei.*

Scharfe Käsecreme aus Makedonien - Chtipití

nach einem Rezept meiner Freundin Angeliki

(4 Portionen)

200 g Schafskäse

1 scharfe Paprika (länglich)

Salz und Pfeffer

Essig

4 EL Olivenöl

Den Schafskäse mit einer Gabel zerdrücken. Die Paprika braten, die Kerne entfernen und kleinwürfeln. Beide Zutaten in den Mixer geben, Essig und Olivenöl hinzufügen und zerkleinern bis eine cremige Masse entsteht. Nach Geschmack mit Salz und Pfeffer würzen.

Paste aus Fischrogen - Taramosaláta

2 altbackene Brötchen

120 g Tarama (Fischrogen gesalzen und gepresst)

1 Zitrone

4-5 EL Olivenöl

Salz und Pfeffer

Die Kruste der Brötchen mit einer Raspel entfernen und die Brötchen in handwarmem Wasser ca. 5 Minuten einweichen. Anschließend gut ausdrücken, dass sie möglichst wenig Wasser enthalten, mit den Händen in Stücke zupfen und mit einer Gabel klein zerdrücken.

Den Fischrogen dazugeben, die Zitrone pressen und den Saft unterrühren. Das Olivenöl in die Paste einrühren und mit Salz und Pfeffer würzen. Etwa 60 Minuten im Kühlschrank ziehen lassen.

Dicke weiße Bohnen in Tomatensoße - Gígantes

wie meine Freundin Angeliki sie macht

(6 Portionen)

500 g dicke weiße Bohnen

4 große Tomaten (möglichst reif)

1 große Zwiebel

3 Knoblauchzehen

1 Bund gehackte Petersilie

6 EL Olivenöl

Salz und Pfeffer

Die Bohnen am Vorabend in Wasser einweichen.

Das Wasser abschütten, in einen Topf mit Wasser geben und kochen, anschließend das Wasser abgießen.

Die Tomaten mit heißem Wasser übergießen, schälen, die Kerne entfernen und durch eine Gemüsepresse geben. Bohnen und passierte Tomaten in eine Auflaufform geben (möglichst eine Tonform). Die Zwiebel schälen und würfeln. Die Knoblauchzehen schälen und durch die Knoblauchpresse geben. Die Petersilie waschen, trockenschütteln und fein hacken. Zwiebeln, Knoblauch und Petersilie unter die Bohnen-Tomatenmasse rühren. Das Olivenöl hinzufügen und mit Salz und Pfeffer würzen. Die Auflaufform in den Backofen geben und bei ca. 180 Grad etwa 60 Minuten backen lassen. Wenn nötig, zwischenzeitlich etwas Wasser hinzugeben.

Überbackener Schafskäse mit Tomaten und Paprika - Boujourndí

ein Rezept von meiner Freundin Angeliki, die mit ihrem Mann Stefanos in Krefeld die besten griechischen Aluminiumzäune anbietet, wenn sie nicht gerade kocht.

1 Päckchen Schafskäse in den üblichen Verkaufsgrößen

2 – 3 Tomaten

1 – 2 rote Paprika

Salz und Pfeffer

Paprika edelsüß

Rigani (Oregano)

Olivenöl

Den Schafskäse in kleine Würfel schneiden, die Tomaten und Paprika waschen und kleinschneiden. Alles zusammen in eine feuerfeste Schale für Aufläufe geben und vermischen. Mit frischem Pfeffer, Salz, Rigani, Paprikapulver und Öl würzen und gut durchmischen.

Je nach Geschmack kann man natürlich auch scharfe Chili-Paprika untermischen bzw. scharfes Paprikapulver. Die genaue Dosierung ist natürlich auch vom Geschmack des Einzelnen abhängig.

Im Backofen auf ca. 180 - 200 Grad ca. 30 Min. backen

Gefüllte Champignons - Jemistá Manitária

wie meine Freundin Sofia sie macht, eine der besten Köchinnen, die ich kenne.

(8 Portionen)

16 Riesenchampignons

1 Zwiebel oder 3 Frühlingszwiebel

1 Knoblauchzehe

3 mittelgroße Tomaten

150 gr Feta Käse

Etwas Thymian, frisch oder getrocknet

Pfeffer

3 EL Olivenöl

Die Stiele der Champignons entfernen und würfeln. Die Zwiebel fein hacken und die Tomaten und den Feta Käse in Würfel schneiden. Die Zwiebelwürfel in Olivenöl glasig dünsten und die gewürfelten Stiele dazugeben und kurz mit anbraten. Die gepresste Knoblauchzehe und die Tomatenwürfel dazugeben und kurz braten. Die Pfanne von der Kochstelle nehmen und den Feta Käse vorsichtig untermischen. Mit Pfeffer und Thymian würzen und die Masse in die Champignonköpfe füllen. Die Champignons in eine Auflaufform legen und im vorgeheizten Backofen 20 Minuten bei 200°C backen und anschließend 3 Minuten unter dem Grill knusprig bräunen.

Gebratene Auberginen - Melitzánes tiganités

2 Auberginen

1 Zitrone

2 Eier

Mehl zum Wenden

Olivenöl

Salz und Pfeffer

Auberginen waschen, trockentupfen und die Stilansätze entfernen und in Scheiben schneiden (nach Belieben längs oder quer). Die Zitrone auspressen und die Scheiben mit Zitronensaft beträufeln. Die Eier in einem Schüsselchen verquirlen. Mehl, Salz und Pfeffer in einem zweiten Schüsselchen vermischen. Öl in einer Pfanne erhitzen. Die Auberginenscheiben zuerst in der Eimasse und danach im Mehl wenden und dann im heißen Öl goldbraun werden lassen.

Nach Bedarf mehr Öl in die Pfanne nachgießen.

Gebratene Zucchini - Kolokithákia tiganitá

2 Zucchini

2 Eier

Mehl

Olivenöl

Salz und Pfeffer

Zucchini waschen, trockentupfen und Blüten- und Stilansatz entfernen und in Scheiben schneiden. Die Eier in einer Schüssel verquirlen. Mehl, Salz und Pfeffer in einer zweiten Schüssel vermischen. Öl in einer Pfanne erhitzen. Die Zucchinischeiben erst in der Eimasse, dann in Mehl wenden und anschließend im heißen Öl goldbraun werden lassen.

Bei Bedarf weiteres Öl in die Pfanne geben.

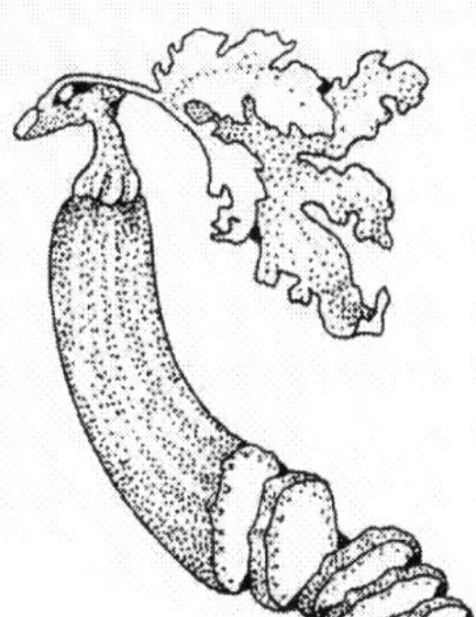

Gefüllte Weinblätter - Dolmadákia

100 g Weinblätter

200 g gemischtes Hackfleisch

50 g Rundkornreis (Milchreis)

1 kleine gehackte Zwiebel

Salz, Pfeffer

1 TL Butter

1 Eigelb

Saft einer ½ Zitrone

Die Weinblätter ca. 2 Minuten in kochendem Wasser blanchieren.

Hackfleisch, Reis, Zwiebel in einen Topf geben und mit Salz und Pfeffer würzen. Mit der Butter vermischen und bei niedriger Hitze schmoren lassen. Ein blanchiertes Weinblatt mit der glatten Seite nach unten legen und einen Löffel der Füllung in die Mitte geben. Die Blattspitze fest darüber rollen, die Seitenteile einschlagen und zum Stengl hin einrollen.

Einen kleinen Topf mit Weinblättern auslegen und die gefüllten Weinblätter eng nebeneinander hineingeben. Mit heißem Wasser bedecken und mit einen passenden Teller abdecken. Bei 180 Grad auf der mittleren Schiene etwa 50 Minuten im Backofen garen lassen.

Eigelb und Zitronensaft vermischen und über die Weinblätter geben und weitere 10 Minuten im Ofen ziehen lassen.

Gefüllte Zucchini - Jemistá Kolokithákia

2-3 mittelgroße Zucchini

5 EL Olivenöl

250 g Fetakäse

2 Knoblauchzehen

Basilikum

2 EL Olivenöl

2 EL Balsamicoessig

Oregano

Salz und Pfeffer

Die Zucchini, waschen, trocken tupfen und in dünne Längsscheiben schneiden. Olivenöl in eine Pfanne geben, erhitzen und die Zucchinischeiben nacheinander von beiden Seiten anbraten. Den Fetakäse zerbröseln, die Basilikumblätter in feine Streifen schneiden, beides vermischen und auf den Zucchinischeiben verteilen. Die belegten Scheiben von einem Ende zum anderen aufrollen, und diese Röllchen in eine gefettete Auflaufform stellen. Die übrigen Zutaten vermischen und auf den Röllchen verteilen. Über Nacht ziehen lassen.

Frittierter Käse - Féta Saganáki

(6 Portionen)

6 ca. 1 cm dicke Scheiben Kefalotyri oder Kasseri-Käse

Mehl

Olivenöl

Salz und Pfeffer

Gehackte Petersilie

Zitronenscheiben

2 EL Öl in einer Pfanne heiß werden lassen, die Käsescheiben mit Mehl bestäuben und nacheinander in dem heißen Öl frittieren. Nach wenigen Minuten wenden und von der zweiten Seite goldbraun werden lassen. Die Käsescheiben auf einen Teller mit Küchenkrepp legen, um überschüssiges Fett aufsaugen zu lassen.

Die Käsescheiben auf Tellern anrichten und mit Salz und Pfeffer würzen, evtl. mit gehackter Petersilie und halben Zitronenscheiben garnieren und heiß servieren.

Gebratene Kartoffeln - Tiganités Patátes

wie meine Schwiegermutter sie macht

250 g Kartoffeln (mittelgroß)

Olivenöl

Oregano

Salz

1 Prise Paprikapulver edelsüß

Kartoffeln schälen und in Scheiben schneiden, aber nicht dicker als ca. 4 mm.

Olivenöl in eine Pfanne geben, erhitzen und die Kartoffelscheiben darin ausbacken, bis sie goldbraun geworden sind. Auf einem Teller mit Küchenkrepp das überschüssige Öl abtropfen lassen. Anschließend Salz und Oregano mischen und über die Kartoffeln geben. Nach Geschmack mit Paprika würzen.

Sardellen aus dem Ofen - Gáwros sto Fúrno

1 kg Sardellen

200 ml Olivenöl

50 g Oliven (z.B. Kalamata Oliven ohne Kern)

3 Knoblauchzehen

3 Zitronen

1 TL Oregano

Salz und Pfeffer

Die Fische waschen, die Köpfe entfernen, an der Bauchseite öffnen und die Innereien und die Mittelgräte herausholen. Die Fische gut abwaschen und in eine gefettete Auflaufform geben. Oliven und Knoblauch in feine Scheiben schneiden und zu den Fischen geben. Zwei der Zitronen auspressen und mit dem Saft die Fische beträufeln. Olivenöl über die Fische geben und mit Oregano, Salz und Pfeffer bestreuen. Bei 180 Grad etwa 45 Minuten garen lassen. Auf Tellern anrichten und mit Zitronenscheiben garnieren.

Salate

Auberginensalat - Melitzánossaláta

nach Art meiner Griechischlehrerin Kiki

(4 Personen)

2 große Auberginen

1 kleine rote Paprika

1 kleine grüne Paprika

1 große Tomate

3-4 Knoblauchzehen

150 g Feta Käse zerbröselt

Essig

50 ml Olivenöl

Salz

2 EL gehackte Petersilie

Die Auberginen in 2 cm dicke Scheiben schneiden und unterm Grill backen, bis sie weich sind. Die Auberginenscheiben abkühlen lassen und in Würfel schneiden. Die Paprika und die Tomate ebenfalls in Würfel schneiden, mit den gepressten Knoblauchzehen zu den Auberginenwürfeln geben und mit Salz würzen. Etwas Essig und Olivenöl darüber gießen und alles zusammen mischen. Das Ganze in eine flache Schüssel geben, den zerbröselten Feta-Käse darauf verteilen und mit der gehackter Petersilie bestreuen.

Bauernsalat - Choriátiki

1 Gurke

2 Tomaten

1 güne Paprika

½ Gemüsezwiebel

1 Scheibe Schafskäse

Oliven

Olivenöl

½ Zitrone

Salz, Pfeffer

Oregano

Gurke, Tomaten und Paprika in mundgerechte Stücke schneiden. Auf einem Teller anrichten, Oliven dazugeben und den Schafskäse in großen Stücken darauf verteilen. Olivenöl und Zitronensaft darüber geben und nach Geschmack würzen. Wer möchte, kann auch noch Kräuter oder glatte Petersilie aus dem Garten hinzufügen.

Choriátiki (Chorió bedeutet "Dorf") - Griechischer Bauernsalat *mit frischem Brot und Tzatziki kann eine ganze Mahlzeit sein, schmeckt aber auch besonders gut zu Gegrilltem oder Pita.*

Grüner Salat - Prásini Saláta

ein Rezept von Theo Theodoropoulos, dessen Weine schon hohe Auszeichnungen bekommen haben.

1 Kopfsalat, Eisbergsalat oder Marouli

1 Bund Rukola

2 Lauchzwiebeln

ca. 10 Kalamata Oliven ohne Kern

5 EL Olivenöl

2-3 EL Balsamiko oder anderer Essig

Salz und Pfeffer

2 EL schwarze Rosinen (Korinthen)

1 TL getrockneter Dill oder Oregano

Salat grob schneiden, Zwiebel und Oliven in Scheiben schneiden und in einer Schüssel oder auf einer Salatplatte anrichten und die Rosinen darüber verteilen.

Olivenöl, Essig, Salz und Pfeffer in einer Rührschüssel so lange schlagen, bis alles cremig wird. Über den Salat geben, gut mischen und mit Dill bestreuen.

Weißkohlsalat - Lachanosaláta

1 kleiner Weißkohl

1 - 2 Möhren

2 Knoblauchzehen

1 Zitrone

100 ml Olivenöl

Salz und Pfeffer

Den Weißkohl waschen, putzen und fein hobeln. Die Möhren schälen und raspeln. Beides in einer Salatschüssel mischen. Die Knoblauchzehen pressen, die Zitrone auspressen und mit dem Olivenöl gut verquirlen. Mit Salz und Pfeffer abschmecken und über den Salat geben.

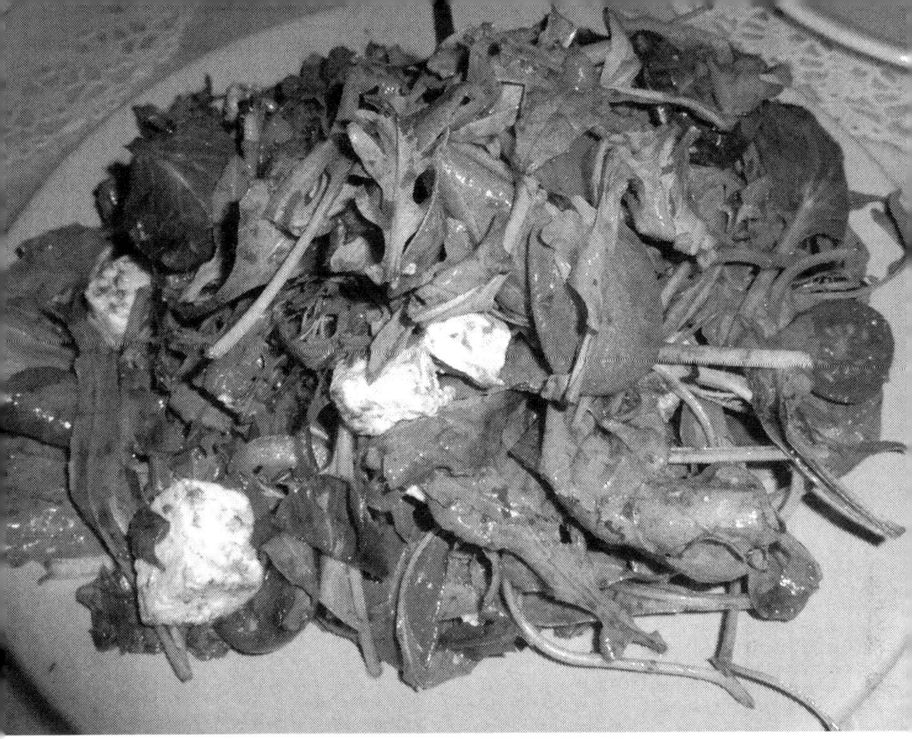

Salat griechische Art - Choriátiki Saláta

wie meine Freundin Suse ihn macht

½ Kopfsalat oder Eisbergsalat

½ Latugasalat (Römersalat)

1 Bund Rukola

10 – 20 Cocktailtomaten

3 Lauchzwiebeln

glatte Petersilie nach Belieben

Basilikumblätter klein geschnitten

oder noch besser kleinblättrigen griechischen Basilikum nach Geschmack

1 Scheibe Schafs- oder Ziegenkäse nach Geschmack

5 EL Olivenöl

3 EL Balsamicoessig

Salz und Pfeffer

1 TL Oregano

Den Lattugasalat (bei uns auch bekannt als Römersalat) in dünne Streifen schneiden, die Blätter von Kopf- oder Eisbergsalat in mundgerechte Stücke zupfen, Cocktailtomaten halbieren, Lauchzwiebel in Scheiben schneiden und in einer dekorativen Schüssel anrichten. Die Scheibe Fetakäse in mundgerechten Stücken über den Salat verteilen. Kleingeschnittene Petersilien- und Basilikumblätter darüber streuen.

Olivenöl, Essig, Salz, Pfeffer und Oregano zusammen verrühren und über den Salat geben.

Linsensalat - Fakéssalata

300 g Linsen

3 Lauchzwiebeln

1 rote Paprika

1 Tomate

1 Möhre

1 EL Olivenöl

1 Knobauchzehe

2 TL glatte Petersilie

2 TL Minze

4 EL Olivenöl

1 EL Zitronensaft

Salz und Pfeffer

Dill

Die Linsen waschen und in einen Topf geben und mit Wasser bedecken. Zum Kochen bringen, und ca. 10-15 Minuten köcheln lassen. Das Wasser wieder abgießen.

Die Zwiebeln putzen und in Scheiben schneiden. Die Paprika putzen, aushöhlen und würfeln, die Tomate waschen und würfeln, die Möhre schälen, würfeln und in der Pfanne mit 1 EL Ölivenöl leicht andünsten. Petersilie und Minze kleinschneiden und die Knoblauchzehe pressen. Alle Zutaten in eine Schüssel oder auf eine Salatplatte geben und vermischen. Olivenöl und Zitronensaft darübergeben und mit Salz und Pfeffer abschmecken. Etwa 2 Stunden im Kühlschrank ziehen lassen und vor dem Servieren mit Dill dekorieren.

Kartoffelsalat - Patatósaláta

1 kg Kartoffeln

3 Lauchzwiebeln

1 kleiner Bund glatte Petersilie

5 EL Olivenöl

5 EL Essig oder Zitronensaft

Salz und Pfeffer

Die Kartoffeln schälen, kochen und würfeln. Zwiebeln und Petersilie kleinschneiden. Alles in eine Schüssel oder auf eine Salatplatte geben. Olivenöl, Essig (oder Zitronensaft) darüber geben und mit Salz und Pfeffer würzen. Etwa 2 Stunden im Kühlschrank ziehen lassen.

Wildkräutersalat - Chórta

Beliebig viele Wildkräuter

Olivenöl

Saft einer Zitrone

Salz und Pfeffer

Chorta ist für alle Nichtgriechen eine Entdeckung. Übersetzt bedeutet 'Chórta' eigentlich Heu oder Gras. Aber als Salat sind damit z.B. Ackerrettich, Brennesseln, Löwenzahn, Sauerampfer, Spitzwegerich und weitere Wildkräuter gemeint.

Diese Kräuter werden gewaschen, kurz blanchiert und mit Olivenöl, Zitrone, Salz und Pfeffer abgeschmeckt.

Griechische Mentalität - Griechen sind anders

Um die Griechen ein kleines bisschen besser zu verstehen, muss man wissen, dass sie eine völlig andere Mentalität haben als wir Mitteleuropäer. Bis ich die Griechen persönlich kennen lernte, glaubte ich auch, sie gehörten zu Europa. Aber die Griechen selbst sehen das anders, oft beginnen Diskussionen mit: „Ihr Europäer ....versteht dies oder jenes ja ganz anders...." oder ähnlich. Auf meine Frage, „Seid ihr denn keine Europäer?" heißt es dann immer: „Nein, wir sind Griechen."

Aber natürlich gibt es auch Situationen, wo die Griechen gerne zu Europa gehören wollen, da sind sie sehr flexibel.

Einer der größten Unterschiede für mich ist, der Umgang der Griechen untereinander, dass auch Fremde sich duzen und sich verhalten, als gehörten sie alle zu einer großen Familie. Auch der Zusammenhalt in der Familie ist vollkommen anders als bei uns. Eltern nehmen ihre Kinder grundsätzlich mit zu Festen und Veranstaltungen und häufig bringen sie auch ihre Eltern mit oder andere Verwandte. Dass Griechen nur als Paar bei einer Veranstaltung auftauchen, habe ich selten erlebt.

Wenn das gemeinsame Essen für die Griechen das Wichtigste ist, wird dies gleich gefolgt von ihrer Liebe zur griechischen Musik und zum Tanz. Sänger und Liedermacher werden verehrt wie Nationalhelden. Ich habe Konzerte erlebt, bei denen alle Generationen vertreten waren und nicht wenige Lieder vom Publikum laut mitgesungen wurden. Die Menschen, egal welchen Alters, standen auf und tanzten. Das ist auch eine Besonderheit der Griechen. Wir tanzen, wenn wir fröhlich sind und einen Grund zum Feiern haben oder genug getrunken haben. Die Griechen können auch tanzen, wenn sie todtraurig und betrübt sind. In Deutschland ist es undenkbar, dass ein Mann alleine auf der Tanzfläche steht und sich verhaltenen Schrittes zur Musik bewegt. In Griechenland ist es durchaus üblich, die anderen Tanzwilligen knien sich an den Rand der Tanzfläche und klatschen im Rhythmus mit, bis sich der Solotänzer von einem anderen ablösen lässt.

Aber mal ein Beispiel aus dem Alltag:

Wir waren in den Sommerferien bei meinen Schwiegereltern in Nikiti zu Besuch. Abends sollte im Dorf am Strand Livemusik sein, und das wollten wir nicht verpassen. Obwohl das Haus meiner Schwiegereltern vielleicht zwanzig Gehminuten vom Dorf entfernt liegt, fuhren wir mit dem Auto. Weder meine Schwiegereltern noch wir sind gehbehindert, aber das ist eben auch so eine Eigenart der Griechen.

Natürlich war es in den schmalen Gassen des Dorfes nicht einfach, einen Parkplatz zu finden, zumal unzählige andere Einheimische und Touristen dem Spektakel beiwohnen wollten. Geduldig bog mein Schwiegervater in jeden noch so engen Pfad ein, wartete, bis diverse Fußgänger, die wohl schon einen Parkplatz gefunden hatten, den Weg freimachten und scherzte, wieso denn alle Welt ausgerechnet heute mit dem Auto unterwegs sei. Schließlich

lenkte er den Wagen an einen Gartenzaun, blieb genau vor dem Gartentor stehen und lobte den feinen Parkplatz. Meine Schwiegermutter quetschte sich aus dem Auto und strich ihr Kleid glatt. Mein Mann öffnete seine Beifahrertür. „Vater, du willst nicht wirklich hier stehen bleiben."
„Was hast Du Sohn? Der Platz ist wie für uns gemacht!" Dabei ging mein Schwiegervater auf den Zaun zu und schaute interessiert in den Garten, in dem ein älterer Grieche seine Pflanzen goss, während er unser Parkmanöver beobachtet hatte. „Sag mal", sprach mein Schwiegervater ihn auf griechisch an. „Du hast nicht zufällig vor, heute Abend umzuziehen?" Der Mann ließ seine Gießkanne stehen und lugte interessiert über seinen Gartenzaun.
„Nein, habe ich nicht vor."
„Seht ihr", sagte mein Schwiegervater und sah uns triumphierend an. Dann wandte er sich wieder an den Mann. „Meine Familie meinte, ich könnte hier nicht vor eurem Tor parken, obwohl der Platz geradezu ideal ist. Aber wenn ihr für heute keinen größeren Umzug geplant habt, spielt es ja keine Rolle, wenn mein Auto hier steht." Verschwörerisch nickte er dem Mann zu. „Ich bin Petros und das sind mein Sohn und meine Schwiegertochter. Die leben in Deutschland, da kennen die das nicht so."
„Ah, Deutschland", das Gesicht des Griechen hellte sich auf. „Ich bin Kosta, ich habe 20 Jahre in Wuppertal gearbeitet. Kennt Ihr Wuppertal?" Als mein Mann erklärte, dass wir aus Krefeld kämen, wandte sich der Grieche um und rief in Richtung seines Hauses: „He, Panagiota komm mal her, hier sind Leute aus Deutschland. Aus der Nähe von Wuppertal."

Er öffnete das Gartentor. „Ihr habt es doch sicher nicht eilig. Meine Schwester und ihre Tochter sind gerade zu Besuch. Meine Schwester lebt in Düsseldorf, vielleicht kennt ihr sie."

Meine Schwiegermutter mischte sich in das Gespräch, beteuerte, dass wir Urlaub hätten und alle Zeit der Welt, dass sie selbst gerade noch im letzten Jahr auch in Düsseldorf gewesen sei, weil sie mit ihrer Tochter ein Kleid zum Abitur für die Enkelin hätte aussuchen wollen. Inzwischen war Panagiota herbeigeeilt und begrüßte uns herzlich und auf Deutsch. Dann tadelte sie ihren Mann auf griechisch, dass er uns einfach so am Zaun stehen ließe und uns noch nicht hereingebeten hätte.

„Das ist die Schwiegertochter aus Deutschland?", sie deutete auf mich. „Die sieht aber griechisch aus", stellte sie zufrieden fest. „Kommt doch rein. Wir decken gerade den Tisch, wir wollen gleich grillen. Ihr esst doch sicher mit. Es ist auf jeden Fall genug da, ihr kennt das ja."

„Das ist sehr freundlich", unterbrach ich ihren Redeschwall, „aber wir wollten zu dem Konzert im Dorf."

„Ach, da könnt ihr immer noch hin, das fängt doch vor zehn Uhr nicht an", lachte Kostas und zwinkerte mir zu. Als wir alle Richtung Haus trabten, raunte ich meinem Mann zu, wer diese Leute denn wären, irgendwelche Verwandten um mehrere Ecken, die sie bisher noch nicht erwähnt hatten. „Das müsste ich wissen", grinste mein Mann. „Nein, ich denke, mein Vater hat sie gerade auch zum ersten Mal gesehen. Aber nett hier, und das Konzert werden wir sicher bis hierher hören." Unnötig zu erwähnen, dass wir den ganzen Abend mit Kostas, Panagiota, der Schwägerin Kiriaki und deren Tochter Iliana verbrachten. Ich hatte Glück, dass die drei Frauen so gut

Deutsch sprachen und ich an der Unterhaltung teilnehmen konnte. Und dann stellten wir tatsächlich fest, dass wir in Deutschland gemeinsame Bekannte haben. Schön, dass die Welt so klein ist.

Pita - Teigpasteten

Pita mit Spinatfüllung - Spanakópita

Filoteigplatten

in runder oder eckiger Form (bekommt man in türkischen oder griechischen Läden)

1 kg gehackter Spinat (tiefgefroren oder frisch)

500 g Lauch

1 Tasse Olivenöl

1 Bund Dill gehackt

1 Bund Petersilie gehackt

Saft von ½ Zitrone

Salz, Pfeffer

2 Eier

etwas Butter, etwas Milch

evtl. 250 g Schafskäse nach Geschmack

Den Spinat ggfs. waschen, kleinschneiden und blanchieren. Lauch putzen, kleinschneiden und in dem erhitzten Öl dämpfen. Dann Spinat, gehackte Kräuter und Zitronensaft dazu geben, mit Salz und Pfeffer gut würzen.

Gemüse vom Herd nehmen, abkühlen lassen und zwei Eier unterrühren.

Das Backblech mit Backpapier auslegen oder einfetten. Die erste Teigplatte darauf auslegen, die Seiten überstehen lassen, mit Butter bestreichen bevor eine oder zwei weitere Teigplatten darauf ausgebreitet werden. Die Gemüsefüllung gleichmäßig verteilen und nach Geschmack mit zerbröseltem Schafskäse bestreuen. Die überstehenden Teigränder zusammenfalten und mit einer weiteren Teigplatte zudecken. Mit Butter und Milch bestreichen, damit sie eine schöne Farbe bekommt.

Die Pita bei 160 Grad etwa 1 Stunde backen, abkühlen lassen und in Rechtecke schneiden.

Pita mit Käse - Tyrópita

Für den Teig:

500 g Mehl

250 g Joghurt

1 Tasse Öl

Für die Füllung:

400 g Schafskäse

2 Eier

1 Tasse Milch

3 EL Mehl

3 EL Olivenöl

1 Ei, verquirlt

Mehl, Joghurt und Öl vermengen, zu einer Kugel formen und abgedeckt ca. 30 Minuten gehen lassen. In zwei Hälften teilen und daraus je eine Teigplatte ausrollen. Eine Teigplatte auf ein mit Backpapier ausgelegtes Blech ausbreiten.

Die Zutaten für die Füllung vermengen und auf der Teigplatte verteilen. Mit der zweiten Teigplatte abdecken und die Teigränder miteinander verbinden. Ein verquirltes Ei auf der Pita verteilen und eine Stunde bei ca. 180 Grad im Backofen goldbraun backen lassen.

Blätterteigecken mit Käsefüllung - Tiropitákia

300 g Schafskäse

100 g Mozzarella

200 g Filoteig* oder 400 g Blätterteig

1 Ei

2 Frühlingszwiebeln

1 Knoblauchzehe

Dill

Basilikum

Salz und Pfeffer

Butter

Den Käse zerbröseln oder mit einer Gabel zerdrücken. Die Frühlingszwiebeln kleinschneiden, den Knoblauch pressen. Käsebrösel, Ei, Frühlingszwiebeln und Gewürze in einer Schüssel vermischen.

Den fertigen Teig in ca. 5 cm breite Streifen schneiden und mit einer großzügigen Portion der Käsemischung füllen. Anschließend zu Dreiecken falten und die Teigenden miteinander verbinden. Die Butter zerlassen und die Teigecken damit bestreichen.

Im vorgeheizten Backofen bei ca. 180 Grad etwa 20 Minuten backen.

**Filoteig ist eine Art griechischer Blätterteig, den man in türkischen und griechischen Lebensmittelläden bekommt. Alternativ kann man auch Blätterteig verwenden.*

Pastete mit Reis-Käsefüllung - Píta sto Zagorochória

Für den Teig:

1 kg Mehl

2 EL Öl

1 EL Essig

½ TL Salz

Wasser

Milch

Für die Füllung:

1 kg Lauch

1 Tasse Reis

250 g Schafskäse

250 g Gruyere

6 Eier

1 l Milch

250 g Joghurt

3 EL Öl

Salz

Lauch putzen und in kleine Stücke schneiden. Den Reis kochen, den Käse reiben und beides zum Lauch dazu geben. Die Eier schlagen und hinzufügen, ebenso Milch und Joghurt. Zum Schluss zwei EL Öl daruntermischen und leicht salzen.

Das Mehl in eine große Schüssel geben, in die Mitte eine Mulde drücken und dort hinein Öl, Essig und Salz geben. Den Teig kneten und ab und zu etwas Wasser hinzufügen, damit er nicht zu fest wird. Den Teig in drei gleich große Stücke ausrollen. Ein Backblech mit Backpapier auslegen und die erste Teigschicht darauf ausbreiten. Mit Öl und Butter bestreichen, und die Hälfte der Füllung darauf verteilen. Das zweite Teigblatt darauf legen, wieder mit Öl und Butter bestreichen und die restliche Füllung darauf verteilen. Das dritte Teigblatt auflegen, mit Öl, Butter und etwas Milch bepinseln. Den Ofen auf 160 Grad vorheizen und die Pita etwa 1 Stunde backen lassen.

Pita mit Hackfleisch - Kreatópita

Für den Teig:

½ Tasse Mehl

½ Tasse Olivenöl

1 TL Salz

1 Tasse Wasser

Für die Füllung:

½ Tasse Öl

4 Zwiebeln

1 kg Rinderhackfleisch

Salz, Pfeffer, Muskatnuss

1 Tasse geriebener Parmesan

4 Eier

Das Mehl in eine große Schüssel geben, in die Mitte eine Vertiefung drücken und Öl und Salz hineingeben. Unter Rühren nach und nach das Wasser hinzugeben und den Teig weiter mit den Händen verkneten und zu einer Kugel formen. Abgedeckt in der Schüssel etwa 30 Minuten ruhen lassen.

In der Zwischenzeit für die Füllung das Öl in einem Topf erhitzen, die Zwiebeln würfeln und im Öl anbraten. Das Hackfleisch hinzugeben und unter ständigem Rühren anbraten. Mit etwas Wasser ablöschen und mit Salz, Pfeffer und Muskatnuss würzen und weiter köcheln lassen, bis das Fleisch gar ist. Vom Herd nehmen und etwas abkühlen lassen.

Die Eier schlagen und zu der Fleischfüllung geben, den Parmesan hinzufügen und alles gut verrühren.

Der Teig wird in vier dünnen Teigplatten ausgerollt, wobei zwei etwas größer sein sollen, als die anderen beiden. Mit diesen beiden Teigplatten werden der Boden und der Rand einer gefetteten Backform ausgelegt. Die Teigplatten mit Öl bepinseln und die Füllung hineingeben. Mit den beiden anderen - auch schon geölten - Teigplatten abdecken. Die Ränder gut miteinander verbinden, die Oberfläche mit einem Messer einritzen und mit Öl bepinseln.

Den Ofen auf 180 Grad vorheizen und die Pita etwa 1 Stunde backen.

Milchpita - Galatópita

ein Rezept von Taxiárchis Panis

500 g Mehl

½ Tasse lauwarmes Wasser

½ TL Salz

1 EL Essig

1 EL Öl

100 g Margarine

1 l Milch

¾ Tasse Grießmehl

½ Tasse Mehl

¾ Tasse Zucker

2 Pck. Vanillezucker

4 Eier

100 g Margarine

Wasser, Salz, Essig und Öl mischen und mit dem Mehl vermengen. Gut durchkneten, zwei Kugeln formen und 30 Minuten im Kühlschrank ruhen lassen. Dann die erste Kugel ausrollen, die Margarine schmelzen und den Teig damit bestreichen und zusammenfalten. Den Teig in der Größe des Backbleches ausrollen. Mit der zweiten Teigkugel ebenso verfahren.

Milch, Grießmehl, Mehl, Zucker und Vanillezucker vermischen und aufkochen lassen. Zwei der Eier verquirlen, zu der Masse geben und alles auf den Teig verteilen. Den Teigdeckel darauf legen und Margarine in Flöckchen darauf verteilen. Im Backofen bei 180 Grad etwa 30 – 40 Minuten backen. Die beiden restlichen Eier verquirlen, das Backblech herausziehen, die Eimasse auf den Teig geben und weitere 15 Minuten im Ofen backen lassen.

Parea

Für ‚Parea‘ gibt es keine wörtliche deutsche Übersetzung. ‚Gesellschaft‘ trifft es nicht ganz, man könnte eine Parea mit einer Gruppe Freunde und Bekannter vergleichen, mit der man zusammen etwas unternimmt oder essen geht. Es ist aber nicht eine feste Gruppe gemeint, die wir als ‚Clique‘ bezeichnen würden.

Ich kann mich erinnern, dass meine Eltern den Feierabend üblicherweise zu Hause verbrachten. Ab und zu wurden Freunde zum Abendessen eingeladen oder meine Eltern waren bei Bekannten zu Hause eingeladen, aber selten öfter als einmal in der Woche.

Bei Griechen ist es umgekehrt, sie sind vielleicht einmal in der Woche zu Hause. Aber eigentlich ist man ständig verabredet. Griechen sind nicht gerne allein zu Haus.

In Griechenland mag das am warmen Klima liegen, aber Griechen haben keine Lust, alleine spazieren oder essen zu gehen. Das könnte ja so aussehen, als wären sie minderwertig und hätten keine Freunde. Griechen sind sehr darauf bedacht, was andere von ihnen denken und außerdem sind sie ausgesprochen gesellige Menschen. Sie brauchen eine Parea. Daher verabredet man sich häufig und gerne auch spontan.

Genauso kann es vorkommen, dass man sich mit einem befreundeten Paar zu einem Kinobesuch verabredet, aber kurz vorher rufen sie an und schlagen vor, man solle sich doch lieber mit zwei weiteren Pärchen, also einer größeren Parea im Biergarten treffen. Kommt man dann am neuen Treffpunkt an, sitzt auch ein spontan eingeladener Nachbar dabei, und wenn dann noch unerwartet zwei Cousinen auftauchen, werden sie selbstverständlich auch mit an den Tisch gebeten. Das heißt, schnell mehrere Tische aneinanderrücken, und von den Nachbartischen werden ein paar Stühle ausgeliehen.

Bei einer griechischen Parea ist es üblich, dass einer die Bestellung übernimmt, allerdings für alle, und es später nur eine Rechnung gibt, die einer der Gäste übernimmt.

Ich habe es in Griechenland aber schon erlebt, dass ein Kellner recht unwirsch reagierte. Er wollte das Tischrücken untersagen, denn hätte er mehrere kleinere Gesellschaften gehabt, hätte er nicht nur einmal Trinkgeld bekommen. Wobei man sagen muss, dass die Griechen beim Trinkgeld großzügiger sind als wir Deutschen. Üblich sind durchaus mindestens 10 Prozent des Rechnungsbetrages. Hier bei uns kommt es nicht selten vor, dass ein Gast bei einer Summe von z.B. 12,90 € nur 10 Cent Trinkgeld gibt und das völlig in Ordnung findet.

Die Spontanität der Griechen rührt wohl daher, dass sie oft das Gefühl haben, etwas zu verpassen. Wenn sie sich zu früh festlegen, könnte ihnen ja eine bessere Party entgehen. Für uns Deutsche ist es völlig normal, sich im voraus für eine Veranstaltung Karten zu reservieren. Die Griechen warten bis zur allerletzten Gelegenheit, und wenn man sie fragt, ob man sich am Wochenende bei dieser oder jener Veranstaltung trifft, heißt es meist: „Lass uns mal telefonieren“.

Schon häufig habe ich erlebt, dass für griechische Tanz- und

Abendveranstaltungen im Vorverkauf kaum Karten weggingen und die Veranstalter kurz davor waren, die Sache abzublasen. Am Abend aber war der Andrang so groß, dass es nicht für alle griechischen Gäste Plätze gab. Denn üblicherweise kommen die Griechen erst gegen 22 Uhr, auch wenn eine Veranstaltung offiziell um 20 Uhr beginnt. Sie sind dann ganz erstaunt, dass für ihre Parea, die aus mindestens acht bis 10 Personen besteht, keine nebeneinanderliegenden Plätze mehr frei sind. Denn, wie hier üblich, waren die ersten Deutschen schon im 19 Uhr vor Ort und haben die besten Tische für ihre Bekannten reserviert.

So waren wir einmal mit unserer Parea - drei befreundeten griechischen Paaren - in einem traditionsreichen Lokal verabredet. Wir waren etwas früher, die Musik war noch dabei aufzubauen, obwohl auf den Plakaten gestanden hatte, dass die Veranstaltung schon zwei Stunden zuvor beginnen würde. Gegen 21 Uhr rief einer unserer Freunde an, dass man beschlossen habe, gegen 22 Uhr nach Düsseldorf zu fahren, um mal zu sehen, ob dort in einem berüchtigten griechischen Lokal etwas los sei. „Gar kein Problem", sagte mein Lieblingsgrieche, „macht ihr das. Uns wird das aber zu spät, wir haben morgen wieder etwas vor. Wir bleiben noch ein bisschen, aber alt werden wir hier nicht."
Ich nickte meinem Mann zu. „Die Musik reißt mich echt nicht vom Hocker."
Das wunderte mich nicht, es war auch keine griechische Musik, mit der wir in einem griechischen Lokal natürlich gerechnet hatten.
„Der Funke springt nicht über", bestätigte ich. „Ganz ehrlich, am liebsten wäre ich zu Hause auf der Couch.

Morgen wird es bestimmt anstrengend.“ Ich sah mich um, als suche ich nach einem Notausgang. Natürlich kannte uns der Wirt. Alle Griechen in unserer Stadt kennen sich untereinander, obwohl Krefeld über 200.000 Einwohner hat und hier mehrere Tausend Griechen leben. „Wir bestellen noch ein Bier, dann ist es nicht so peinlich, dass wir gleich schon wieder gehen.“ Mein Mann zwinkerte mir zu und winkte dem Kellner. Ich blickte in freudiger Vorausschau zum Ausgang, im Geiste sah ich uns schon auf dem Sofa. Die Eingangstür öffnete sich und ich sah unsere Freunde, die sich suchend umguckten. Ich konnte gerade noch den Reflex unterdrücken, mich unter den Tisch zu ducken. Unsere Freunde begaben sich erst einmal an die Theke, um den Wirt - einen Landsmann - lautstark zu begrüßen.

Das ist auch so ein Unterschied zwischen Deutschen und Griechen: Wir Deutsche schauen am liebsten schon durch das Fenster eines Lokals und suchen uns einen Tisch aus, der uns zusagt, noch bevor wir das Lokal betreten haben. Dann steuern wir zielstrebig auf unser Objekt zu und lassen uns auch von einem herbeieilenden Kellner nicht beirren, selbst wenn er uns einen besseren Platz anbieten möchte. Die Griechen treten erst einmal ein, sehen sich um, wen sie wohl so kennen, lassen sich vom Wirt oder mindestens dem Geschäftsführer persönlich begrüßen und überlegen dann, welcher Tisch wohl der beste und groß genug für ihre Parea sein könnte. Falls sie wirklich niemanden entdeckt haben, den sie kennen, gehen sie freundlich grüßend an den anderen Tischen vorbei, manchmal stoßen sie auch einfach etwas um, nur um die Gelegenheit zu haben, jemanden in ein Gespräch zu verwickeln.

Als unsere Freunde uns entdeckt hatten, kamen sie

publikumswirksam an unseren Tisch. „Ach, ihr Armen habt hier so lange auf uns gewartet.“ Meine Freundin umarmte und küsste mich, als hätten wir uns Jahre nicht gesehen. Ihr Mann zog mich an sich. „Wir haben ein ganz schlechtes Gewissen, dass wir euch erst so spät gesagt haben, dass wir doch lieber nach Düsseldorf fahren wollen.“ Ein entschuldigender Seitenblick auf mich von dem zweiten Pärchen. „Ja, da haben wir uns spontan entschlossen, euch Gesellschaft zu leisten und erst gegen 23 Uhr zu dem Griechen nach Düsseldorf zu fahren.“

Die Musik wurde zwar nicht besser, getanzt hat auch niemand, aber in Gesellschaft unserer Freunde ließ sich es sich gut aushalten. Kurz nach 23 Uhr wurde mein Lieblingsgrieche aber zunehmend unruhig.
„Müsst ihr nicht langsam los?“ fragte er schließlich seinen Freund.
„Erinnere meine Frau bloß nicht daran“, raunte ihm dieser zu. „Ich habe sowieso keine rechte Lust auf die Fahrt, wer weiß, ob da überhaupt etwas los ist, und eigentlich bin ich jetzt schon müde.“
„So, wir müssen jetzt langsam“, beharrte ich. „Morgen früh habe ich einen Termin und nachmittags sehen wir uns ja schon wieder.“
Ich wurde gebührend bedauert, aber nach vielen Küsschen und Schulterklopfen konnten wir uns verdrücken.

Am nächsten Tag fragten wir natürlich, wie es in Düsseldorf gewesen sei, ob wir etwas verpasst hätten. „Ach“, sagte meine Freundin, „wir konnten uns dann doch nicht aufraffen. So ein Wochenende ist immer anstrengend. Und so übel war die Musik ja doch nicht, mal etwas anderes. Wir haben noch bis Mitternacht ausgehalten, denn was sollen unsere Kinder denken, wenn wir vor 24 Uhr zu Hause sind."

Suppen - Soúpa

In Griechenland werden heiße Suppen im Winter gegessen, in den Sommermonaten eher lauwarme oder kalte Suppen.

Spezielle Suppen werden nur zu bestimmten Anlässen serviert, wie z.B. die Majirítsa, eine säuerlich schmeckende Suppe aus Innereien vom Schaf.

Majirítsa wird in der Osternacht im Kreis der Familie gemeinsam gegessen. Nach der 40-tägigen Fastenzeit ist diese Suppe die erste tierische Nahrung, die die gläubigen orthodoxen Griechen zu sich nehmen.

Rindfleischsuppe - Soúpa Vadinó

wie meine Schwiegermutter sie macht

1 Pfund Rindfleisch

Salz

2 l Wasser

1 Lorbeerblatt

2 Möhren

1 dicke Zwiebel

1 Zucchini

1 Kartoffel

1 Bund Petersilie

1 Zitrone

Das Fleisch abwaschen, abtrocknen mit Salz einreiben und in einen Topf mit Wasser geben. Das Fleisch muss ganz mit Wasser bedeckt sein. Die Zwiebel und das Lorbeerblatt hinzufügen und köcheln lassen, bis das Fleisch weich ist.

Das Fleisch und Gemüse herausnehmen. Das Fleisch in mundgerechte Stücke schneiden. Das Gemüse ebenfalls kleinschneiden. Die Brühe sieben und Fleisch und Gemüse wieder in die Brühe geben. Mit Salz abschmecken, die gehackte Petersilie und den Saft der Zitrone hinzugeben. Nach Belieben ggfs. Fadennudeln zu der Suppe geben.

Griechische Fleischsuppe - Kreatóssoupa

wie meine Kumbara Dora sie macht

1 kg Kalbsfleisch

1 ½ l Wasser

2 Porreestangen

2 Zwiebeln

3 Möhren

2 Sellerie

1 Tasse Reis

Salz und Pfeffer

2 Eier

2 Zitronen

Das Fleisch waschen, trocken tupfen und in einen mit Wasser gefüllten Topf geben. Salz hinzufügen und köcheln lassen, bis das Fleisch weich wird.

In der Zwischenzeit Porree, Zwiebeln, Möhren und Sellerie putzen, waschen und würfeln. Anschließend in den Topf geben und 20 Minuten mitkochen lassen. Den Reis dazugeben und weitere 20 Minuten köcheln lassen. Dann den Topf vom Herd nehmen. Das Fleisch herausnehmen, in Stücke schneiden und wieder in den Topf geben.

Die beiden Eier in einer Schüssel verquirlen. Die beiden Zitronen pressen und den Saft unterheben. Zwei Löffel der Suppe hinzugeben, verrühren und dann zu der Suppe hinzugeben. Die fertige Suppe noch ca. 2 -3 Minuten auf dem Herd erhitzen, denn das Ei darf nicht gerinnen. Zum Schluss mit Salz und frisch gemahlenem Pfeffer abschmecken.

Griechische Klößchensuppe - Juwarlákia

nach einem Rezept meiner Schwiegermutter

1 Zwiebel

600 g Rindergehacktes

1 Tasse Reis

1 Ei

Salz und Pfeffer

Olivenöl

1 Lorbeerblatt

1 Ei

1 Zitronen

Salz und Pfeffer

Petersilie

Minze nach Geschmack

Die Zwiebel schälen und fein hacken. Zwiebel, Hackfleisch, Reis (ungekocht) und das Ei in einer Schüssel gut vermengen und mit Salz und Pfeffer würzen. Die Hände mit Olivenöf fetten und aus der Masse kleine Bällchen formen.

Einen Topf mit Wasser füllen und zum Kochen bringen. Olivenöl hineingeben und die Bällchen nacheinander hinzufügen. Ein Lorbeerblatt in die Suppe geben und etwa 30

Minuten bei leichter Hitze kochen lassen, bis Hackfleisch und Reis gar sind. Vom Herd nehmen.

Das Ei aufschlagen und gut verquirlen. Die Zitrone pressen und den Saft unter ständigem Rühren zu dem Ei hinzufügen. Einen Löffel von der Suppe in die Zitronensoße einrühren und diesen Vorgang wiederholen. Dann die Soße vorsichtig in die Suppe einrühren, die jetzt nicht mehr kochen darf.

Mit Salz und Pfeffer abschmecken.

Petersilie und Minze fein hacken und die Suppe damit garnieren.

Griechische Ostersuppe - Majirítsa

1 kg Innereien z.B. Leber und Herz von Ziege oder Lamm

500 g Zwiebeln

1 Bund Dill

500 g Reis

2 EL Butter

3 Eier

3 Zitronen

Salz und Pfeffer

Die Innereien gut abwaschen, trocken tupfen und in Salzwasser bei starker Hitze halb garkochen. Die Innereien aus der Brühe nehmen, in kleine Stücke teilen und zur Seite stellen. Den Sud durch ein Sieb schütten und in einen großen Kochtopf füllen. Die Zwiebeln in Ringe schneiden, den Dill fein hacken und beides in den Topf geben. Den Sud kochen lassen, den Reis hinzugeben und dann die Innereien. 2 EL Butter im Sud schmelzen lassen, und die Suppe kochen lassen, bis Reis und Innereien gar sind.

Die Eier aufschlagen und in einer kleinen Schüssel gut verquirlen. Die Zitronen pressen und den Saft unter ständigem Rühren zu den Eiern geben. Etwa drei Eßlöffel Suppe hinzufügen und mit der Ei-Zitronensoße verrühren, bis sie schaumig wird. Diesen Vorgang drei Mal wiederholen und dann unter ständigem Rühren zügig in die Suppe einrühren, die jetzt nicht mehr kochen darf, da sonst die Eier gerinnen. Mit Salz und Pfeffer würzen und mit frischem Weißbrot servieren.

Hühnersuppe - Kotóssoúpa

1 Suppenhuhn

1 ½ – 2 l Wasser

6 EL Rundkornreis

2 EL Olivenöl

2 Zitronen

2 Eier

Salz und Pfeffer

Das Huhn waschen und in einem Topf gut mit Salzwasser bedeckt kochen lassen. Sobald das Huhn gar ist, herausnehmen und abkühlen lassen. Anschließend in mundgerechte Stücke schneiden und kleinere Knochen entfernen.

Evtl. Schaumrückstände aus dem Topf entfernen und dann die Hühnerteile und den Reis hineingeben und zum Kochen bringen, Olivenöl hinzufügen und köcheln lassen bis der Reis gar ist.

Die Suppe vom Herd nehmen und erkalten lassen.

Die Eier aufschlagen und den Saft der beiden Zitronen dazu geben. Etwa 2 EL Suppe hinzufügen und weiter schlagen, damit die Eier nicht flocken.

Den Vorgang dreimal wiederholen, dann die aufgeschlagene Ei-Zitronenmischung zügig in die Suppe einrühren und nach Belieben mit Salz und Pfeffer würzen.

Bohnensuppe - Fasoláda

das griechische Nationalgericht

500 g weiße Bohnen

Wasser

2 Zwiebeln

1 Knoblauchzehe

2 kleine Spitzpaprika

6 mittelgroße Möhren

2 Kartoffeln

4 EL Olivenöl

2 EL Tomatenmark

200 ml passierte Tomaten

3 Lorbeerblätter

2 TL Paprika edelsüß

100 ml Olivenöl

Salz und Pfeffer

gehackte glatte Petersilie

Die Bohnen über Nacht mit kaltem Wasser gut bedeckt ziehen lassen.

Am nächsten Tag das Wasser abgießen und die Bohnen in einem Topf mit frischem Wasser aufsetzen und zum

Kochen bringen. (Das Wasser soll nicht gesalzen sein.) Etwa 30 Minuten kochen lassen, dann abgießen.

Zwiebeln würfeln, Knoblauch ausdrücken, Paprika putzen und würfeln. Die Möhren schälen und in Scheiben schneiden. Die Kartoffel schälen.

In einem Topf ca. 4 EL Olivenöl erhitzen, und das Gemüse kurz anbraten. Tomatenmark hinzufügen, die passierten Tomaten und die Kartoffeln hinzufügen.

Nun auch die Bohnen dazugeben und so viel Wasser darübergeben, dass die Bohnen gut 2 cm bedeckt sind. Lorbeerblätter und Paprikapulver hinzugeben.

Alles bei geringer Hitze langsam zum Köcheln bringen und etwa 30 bis 50 Minuten kochen lassen, bis die Bohnen weich werden. Ab und zu umrühren und ggfs. Wasser nachgießen. Sobald die Bohnen gar sind, Olivenöl und Salz hinzufügen, umrühren und ein paar Minuten weiter köcheln lassen. Vor dem Servieren mit der gehackten Petersilie garnieren.

Linseneintopf - Fakés

200 g braune Linsen

Wasser

2 EL Olivenöl

3 Knoblauchzehen

1 Zwiebel

2 Möhren

1 l Wasser

1 TL Oregano

1 EL Rosmarin

2 Lorbeerblätter

1 ½ EL Tomatenmark

Salz und Pfeffer

Olivenöl

Rotweinessig

Die Linsen in einen großen Topf geben und mit Wasser bedecken. Zum Kochen bringen und ca. 10-15 Minuten köcheln lassen. Das Wasser wieder abgießen.

Olivenöl erhitzen und den ausgedrückten Knoblauch und die gewürfelten Zwiebeln anbraten lassen, ab und zu umrühren. Die Möhren schälen, in Scheiben schneiden und ebenfalls dazugeben. Jetzt das Wasser, die Linsen und Gewürze hinzufügen und alles zusammen aufkochen lassen. Wenn die Suppe kocht, die Temperatur reduzieren und mit geschlossenem Deckel etwa 10 Minuten köcheln lassen.

Das Tomatenmark einrühren und die Suppe mit Salz und Pfeffer würzen. Weitere ca. 30 Minuten zugedeckt köcheln lassen, bis die Linsen weich sind. Sollte die Suppe zu dickflüssig werden, einfach etwas Wasser nachgießen.

Wenn die fertige Suppe serviert wird, jede Portion mit etwas Olivenöl und Rotweinessig anrichten.

Gemüsesuppe - Soúpa Lachanikón

4 Kartoffeln (mittelgroß)

1 Stange Lauch

3 Stangen Staudensellerie

3 Zucchini

3 Tomaten (gehäutet)

120 ml Olivenöl

2 Knoblauchzehen

2 Zwiebeln

Salz und Pfeffer

1,5 l Gemüsebrühe

Saft einer unbehandelten Zitrone

3 EL Petersilie (gehackt)

Fetakäse nach Geschmack

Kartoffeln schälen und würfeln, Lauch und Sellerie waschen und in Scheiben schneiden. Zucchini grob schälen, der Länge nach halbieren und in Scheiben schneiden und die gehäuteten Tomaten in mundgerechte Stücke schneiden.

Das Olivenöl in einem großen Topf erhitzen und die zerdrückten Knoblauchzehen sowie die gehackten Zwiebeln darin anbraten bis die Zwiebeln glasig werden. Das vorbereitete Gemüse hinzufügen und ca. 3 Minuten unter Rühren anbraten lassen.

Mit Salz und Pfeffer würzen und die Gemüsebrühe hinzugeben. Alles ca. 30 Minuten köcheln lassen.

Sollte die Suppe zu sehr eindicken, etwas Wasser hinzufügen. Vor dem Servieren mit Salz, Pfeffer und Zitronensaft abschmecken und mit Petersilie und ggfs. Fetakäse bestreuen.

Weizen-Sauermilch-Suppe - Trachanás

200 g Tomaten

1 große Zwiebel

130 g Butter

1 l Fleischbrühe

½ TL Thymian

150 g Trachanás bzw. Joghurt

1 Bund glatte Petersilie

Salz und Pfeffer

100 g Kefalotíri

Die Tomaten häuten und pürieren. Die Zwiebel klein schneiden. Butter in einem Topf erhitzen und die Zwiebeln glasig dünsten. Die Tomaten unterrühren und kurz mitschmoren. Die Fleischbrühe und den Thymian hinzugeben und aufkochen lassen. Dann den Joghurt langsam einrühren und bei schwacher Hitze unter Rühren etwa 20 Minuten garen lassen. Die kleingehackte Petersilie über die Suppe streuen und mit Salz und Pfeffer abschmecken. Die Suppe in Teller füllen und mit geriebenem Kefalotíri garnieren.

Die älteste griechische Suppe ist Trachaná. Die Zubereitung aus Weizenschrot und Ziegenmilch war schon in der Antike bekannt. Die Herkunft ist ungewiss, aber der römische Feinschmecker Marcus Gavius Apicius, der von 25 vor Christus bis 42 nach Christus lebte, erwähnte sie in einem seiner Kochbücher. Auf Zypern gilt sie als Nationalgericht, aber ansonsten bekommt man sie heute meist nur noch in Regionen des Epirus oder Thrakiens, und sie gilt als Arme-Leute-Essen. Wollte man Sauermilch selbst herstellen, müsste man die Milch mehrere Tage lang mit Salz und pulverisiertem Lab zubereiten, stehen lassen und mehrfach mit Milch aufgießen, bis sie nach sechs Tagen so lange mit grob geschrotetem Weizen aufgekocht würde, bis ein fester Brei entstünde. Der würde dann in Stücke geschnitten und müsste mehrere Tage in der Sonne trocknen - in deutschen Sommern wird die Herstellung also schwierig. Die getrockneten Stücke wurden in luftdichten Behältern aufbewahrt, sodass man das ganze Jahr über davon Suppe kochen konnte. Heute wird in vielen Gegenden Griechenlands statt Sauermilch einfach Joghurt verwendet.

Kichererbsensuppe - Revithóssoupa

500 g getrocknete Kichererbsen

1 TL Küchennatron

4 Zwiebeln

250 ml Olivenöl

Salz und Pfeffer

1 Zitrone

Die Kichererbsen über Nacht in heißem Wasser gut bedeckt einweichen lassen.

Am nächsten Tag das Wasser abgießen mit dem Natron vermischen und noch ca. 5 Minuten gründlich abspülen. Die Zwiebeln würfeln und mit den Kichererbsen in einem großen Topf mit Wasser aufkochen lassen. Den Schaum abschöpfen, und die Suppe zugedeckt gut 2 Stunden köcheln lassen. Evtl. heißes Wasser nachgießen.

Olivenöl in die Suppe geben, mit Salz und Pfeffer würzen und erneut aufkochen und 10 Minuten köcheln lassen. Vor dem Servieren mit dem Saft einer Zitrone besprenkeln.

Traditionelle Fischsuppe - Kakawiá

3 kleine Zwiebeln

3 Möhren

2 Stangen Sellerie

4 Tomaten

1 Knoblauchzehe

½ Bund glatte Petersilie

120 ml Olivenöl

1 Lorbeerblatt

1 kg Fischstücke von verschiedenen Fischen (ohne Haut)

Salz und Pfeffer

1 Zitrone

Zwiebeln und Möhren schälen und in Scheiben schneiden, Sellerie putzen und in Stücke schneiden.

Tomaten häuten und würfeln. Knoblauch schälen und pressen. Petersilie waschen und kleinschneiden.

Olivenöl in einen Topf geben, Zwiebeln, Möhren, Sellerie und Tomaten andünsten. Etwas Wasser hinzufügen und zugedeckt 30 Minuten köcheln lassen. Fischstücke, Knoblauch, Petersilie und das Lorbeerblatt hinzugeben. Mit Salz und Pfeffer würzen und mit Wasser bedeckt etwa 10 Minuten köcheln lassen, bis das Gemüse gar ist. Beim Umrühren vorsichtig sein, damit der Fisch nicht zerfällt.

Die Fischstücke vorsichtig auf Tellern anrichten. Die Zitrone auspressen und die Suppe mit Zitronensaft, Salz und Pfeffer abschmecken und über die Filets geben.

Griechische Ostern

Das griechische Osterfest gehört zu den christlich-orthodoxen Feiertagen. Es zählt zu den wichtigsten Traditionen in Griechenland und wird eine ganze Woche lang gefeiert, wobei an die Leiden Christi erinnert wird. Das Essen spielt natürlich auch eine Rolle, so dürfen das traditionelle Osterbrot (Tsouréki), griechisches Ostergebäck (Kulurákia) und die rot gefärbten Eier nicht fehlen. Als Symbol für das Blut Christi färben die Griechen nur mit spezieller roter Farbe.

Die griechische Osterzeit beginnt 40 Tage vor dem Osterfest mit der Fastenzeit.

Viele Griechen, auch die, die hier in Deutschland leben, nehmen die Fastenzeit sehr ernst; einige meiner Freundinnen und Bekannte vielleicht auch nur, um im Sommer wieder eine Bikinifigur zu erlangen oder schlicht aus gesundheitlichen Gründen.

Die Griechen haben für die Fastenzeit genaue Regeln und Traditionen, so verzichten die gläubigen Christen auf Fleisch und ernähren sich stattdessen von Fisch und Meeresfrüchten, die kein Blut enthalten. Sie essen mehr Reis und viel gesundes Gemüse und Obst.

Auf die Fastenzeit folgt die sogenannte Große Woche (Megáli Ewdomáda – μεγάλι εβδομάδα). In dieser Woche wird auf Fleisch, Milchprodukte und auf Öl verzichtet. Die heilige Woche beginnt mit dem Großen Montag (Megáli Deftera - μεγάλι Δευτέρα). Es folgen der Große Dienstag (Megáli Triti – μεγάλι Τρίτη), der große Mittwoch (Megáli

Tetárti - μεγάλι Τετάρτη) und große Donnerstag (Megáli Pémpti – μεγάλι πέμπτη), der bei uns Gründonnerstag heißt. Er ist der wichtigste Tag dieser Woche, und in der Kirche wird die Kreuzigung nachgestellt. Viele Griechen übernachten in der Kirche. Am Karfreitag (Megáli Paraskewí – μεγάλι παρασκευή) nimmt der Pfarrer symbolisch den Leib Christi vom Kreuz und bedeckt ihn mit einem goldbestickte Tuch, bevor er ihn auf einen geschmückten Holzsarg legt. Es folgen feierliche Traditionen und Bräuche, an denen immer viele Gläubige teilnehmen. Am Großen Samstag (Megáli Sáwato - μεγάλι Σάββατο) gehen die meisten Christen zur Kirche, um das Brot (symbolisiert den Körper von Jesus) und den Wein (symbolisiert sein Blut) zu sich zu nehmen, damit sie gesegnet sind. Man wünscht sich gegenseitig „Kalí Anástasi“ eine gute Auferstehung. Am Samstagabend versammeln sich wieder alle Griechen in oder vor der Kirche, und jeder hat eine Kerze dabei (Lampáda). Man trifft viele Bekannte und Freunde wieder, und daher schafft nicht jeder, auch in die Kirche hineinzugehen. Aber irgendwann kommt der Pfarrer heraus, und er gibt das „Heilige Licht“ an die Gläubigen, die vorne am Eingang stehen. Diese geben nun wiederum mit ihren entzündeten Kerzen das Licht an diejenigen weiter, die um sie herum stehen und so wird das Licht von einem zum anderen gegeben, bis alle Kerzen angezündet sind und die Glocken ertönen. Das ist immer ein sehr bewegender, feierlicher Moment und man umarmt und küsst sich und sagt sich sich „Christós Anésti“ (Jesus ist auferstanden) und „Alithós Anésti“ (Er ist wahrhaftig auferstanden). Während der Pfarrer Psalmen liest und singt, wünscht man sich schließlich noch „Chrónia pollá“ (Alles Gute).

Anschließend geht man nach Hause, es ist auch schon fast Mitternacht, und nun isst die ganze Familie gemeinsam Majirítsa. Diese traditionelle Suppe besteht aus Innereien vom Lamm, also Leber, Lunge, Gedärmen, Herz und aromatischen Kräutern sowie Zitronensoße. Anschließend werden die rotgefärbten Eier gegeneinander gestoßen. Demjenigen, dessen Ei ganz bleibt, bringt das Glück für das ganze Jahr. Beim traditionellen mitternächtlichen Essen gibt es natürlich auch das Osterbrot (Tsuréki) und griechisches Ostergebäck (Kulurákia).

Meine griechischen Ostern

Es ist nicht unwichtig, große Feste oder Feiertage, die man mit Freunden und Familie verbringen will, rechtzeitig zu planen. Diese Erfahrung habe ich jedenfalls gemacht. Die Griechen feiern mehr als wir, sind aber viel spontaner, langes Planen ist nicht ihr Ding. Nehmen wir also z.B. das griechische Osterfest.

Da das deutsche und das griechische Ostern nicht immer auf einen Termin fallen - es können bis zu fünf Wochen dazwischen liegen - muss ich häufig zwei Osterfeste planen. Und ich gehe gerne auf Nummer sicher.

Zu unserem deutschen Osterfest, kommen am Ostersonntag traditionell die Kinder - und manchmal noch einige andere nahe Verwandte und Bekannte - zum Kaffeetrinken. Wir verstecken und schenken uns gegenseitig Schokoladeneier oder Kleinigkeiten. Der Ostermontag ist einfach nur zum Faulenzen da.

Aber das griechische Osterfest wird auch hier in Deutschland von Griechen und Griechenlandfans ganz anders gefeiert (siehe oben).

Immer spielt das Essen in großer Gesellschaft eine wichtige Rolle. Fast jede Familie will ein Lamm oder wenigstens Lammkoteletts grillen, und natürlich wird viel getanzt. In größeren griechischen Restaurants gibt es Livemusik, und man muss mindestens ein paar Wochen im voraus reservieren, denn sowohl Deutsche als auch Griechen kommen in größeren Gruppen.

Meine Planung sah im letzten Jahr so aus:

Als mein Lieblingsgrieche und ich an einem kalten Januarabend gemütlich beisammen saßen, dachte ich, die Gelegenheit ist günstig, schon mal ein paar wichtige Termine im Jahr zu klären, und fragte so beiläufig wie möglich: „... und was machen wir Ostern? Wir sollten uns rechtzeitig überlegen, wie und wo wir mit wem feiern möchten. Wir könnten Dora und Jorgos fragen."
Mein Mann sah kurz von seiner Zeitung auf. „Ja, und Sofia und Dimitri. Und vielleicht haben Angeliki und Stefanos auch noch nichts vor." Dann widmete er sich wieder der Zeitung, in der ihn vermutlich gerade eine wichtige Tabelle mit Fußballergebnissen mehr interessierte.

Kurz vor der Karnevalszeit, als wir vor unseren Kostümkisten standen und überlegten, zu welcher Party wir welche Kostüme wählen sollten, fiel mir ein Haarreifen mit plüschigen Hasenohren in die Hände und dies nahm ich zum Anlass, noch einmal das Thema Ostern anzuschneiden. Die Fastenzeit ist ja kalendarisch mit der Osterzeit verbunden, also fragte ich: „Was ist denn jetzt eigentlich mit Ostern?"
Mein Lieblingsgrieche hielt ein Paar schwarz-weiße Katzenohren in die Höhe, reichte sie mir und meinte: „Also, mein Schwager fährt mit einem Freund weg. Sie wollen zum Angeln."
Ich war irritiert, schließlich ist mein Schwager mit der griechischen Schwester meines griechischen Ehemannes verheiratet, und das schon seit zwanzig Jahren. Wie kam der nur auf die Idee, am heiligen, griechischen Osterfest einfach wegzufahren?

„Das ist ja schon merkwürdig, ausgerechnet über Ostern zum Angeln zu fahren." Ich schüttelte ungläubig den Kopf. „Aber was machen wir denn Ostern?"
„Meine Schwester ist mit ihren Kindern bei der Schwägerin eingeladen, und meine Eltern werden dann schon in Griechenland sein."
Aha, also war dieses Jahr mit dem griechischen Teil meiner Familie nicht zu rechnen. Egal, Griechen feiern ja sowieso im größeren Kreis, und seit unserer Hochzeit waren wir ja auch mit unseren griechischen Trauzeugen verwandt. „Dann frag doch Jorgos mal beim Joggen, was seine Familie so macht und ich rede mit Sofia, und dann rufe ich Angeliki an."

Anfang März war ich sicher, dass wir am griechischen Ostersonntag nicht alleine zu Hause sitzen und Schokoladeneier knabbern müssten, während all unsere Bekannten und griechischen Freunde ausgelassen feiern würden. Gut gelaunt tat ich kund, dass unserer Trauzeugin Dora vorgeschlagen hatte, gemeinsam zur griechischen Taverne auf dem Großmarkt zu gehen, da gäbe es Lamm, Livemusik und Tanz, und wir würden eine Menge Bekannte und Freunde treffen, die man ansonsten seltener sieht.
„ Prima", sagte mein Lieblingsgrieche. „Meine Eltern fahren jetzt doch erst im Mai nach Griechenland, wie es aussieht. Aber die Mutter soll ja keine Arbeit haben, dann nehmen wir die Eltern mit zum Großmarkt. Die Mutter hat sowieso genug zu tun, wenn sie niemand davon abhalten kann, für alle Familienmitglieder, Bekannte und Unbekannte Tsourekia (Osterbrot) zu backen", fügte er schmunzelnd hinzu.

Im April rief mich unerwartet eine Bekannte aus meinem früheren griechischen Sprachkurs an. Mehrere Semester lang hatte ich mit Begeisterung versucht, griechisch zu lernen. Zuerst machte ich auch große Fortschritte und konnte schon bald eine Menge verstehen. Aber da man nicht alles so einfach aus dem Deutschen ins Griechische übertragen kann, hatte ich mit dem Sprechen große Probleme. Irgendwann kam ich zu dem Schluss, dass man diese Sprache am besten vor Ort lernen kann und habe den Kurs geschmissen. Mit einigen meiner damaligen Mitschüler hatte ich aber immer noch losen Kontakt.
„Ist das nicht nett, Marion hat angerufen, ob wir Ostern auch zur Taverne auf dem Großmarkt gehen? Gabi und Christian kommen auch und vielleicht noch andere aus meinem früheren Griechischsprachkurs." Mein Lieblingsgrieche lächelte wohlwollend.
„Das ist doch nett, dass sie sich gemeldet hat. Allerdings wollte Marion mir ihre ganze Krankengeschichte erzählen, auch alle Krankheiten, die sie noch nicht hatte, da musste ich sie unterbrechen. Aber heute Nachmittag rufe ich sie wieder an, wenn ich weiß, mit wieviel Leuten wir sein werden. Wenn ich einen Tisch für uns bestelle, soll ich für sie auch mitreservieren." Mein Mann sah kurz von seinem Bildschirm zu mir auf, obwohl er gerade wichtige Tabellen seiner Lieblings-Fußballmannschaft studierte. „So große Tische werden die auf dem Großmarkt nicht haben. Ist es nicht sicherer, sie reservieren für ihre Gruppe selbst?"
Ich nickte, „das habe ich ihr auch schon gesagt. Was meinst du denn, um wieviel Uhr wir gehen sollten?"
„Keine Ahnung", brummte mein Mann. „Da müsstest du mal mit Dora sprechen. Und ich muss meine Schwester anrufen, ob sie und die Kinder mitkommen wollen. Sie

ist nur vormittags bei der Schwägerin eingeladen, und da wäre es doch nett, wenn wir mit der ganzen Familie zusammen feiern." Er wollte sich wieder seinen Tabellen zuwenden.
„Wieviel Personen sind wir denn dann, so grob geschätzt?"
Mein Mann zuckte die Achseln. „Wenn deine Mutter und Lena und Patrizio auch dabei sind, werden wir elf oder zwölf sein. Mit wieviel Leuten kommen denn Dora und Jorgos überhaupt? Kommen ihre Töchter alle drei mit?"
Ich legte meine Stirn in Falten. Meine Freundin und Kumbara (Trauzeugin) war Griechin, sie hatte sich natürlich noch nicht festgelegt, wer aus ihrer Familie alles mitkommen würde.
„Ich ruf Dora jetzt noch mal an", seufzte ich.

„Und, was hat Dora gesagt?"
Ich atmete laut und hörbar ein und aus, als mit klar wurde: Ich war mit der Planung noch keinen Schritt weiter als vor drei Monaten. „Ich habe Dora und Jorgos noch nicht erreicht", sagte ich und versuchte die Schärfe aus meiner Stimme zu nehmen. „Aber meine frühere Kollegin Steffi hat angerufen. Du weißt schon, die mit einem Griechen verheiratet war und zehn Jahr auf Korfu gelebt hat. Sie wollte wissen, ob wir auch mit zum Großmarkt gehen wollen."
„Das ist ja nett, die haben wir lange nicht gesehen. Sie ist doch auch ein paarmal mit zum griechischen Tanzkurs gekommen." Mein Mann stand in der Zimmertür und spielte mit seinem Autoschlüssel, wie mit einem Komboloi. (Eine Art Perlenarmband, das die griechischen Männer stundenlang geschickt durch ihre Finger gleiten und es ab und zu auch mal um die Finger schleudern lassen.)

„Was hast Du gesagt?"
„Ich habe gesagt, ich rufe noch mal an, wenn ich mit Dora gesprochen habe und mit meiner Mutter, und wenn wir wissen, ob deine Schwester auch dabei sein wird. Hast du inzwischen mit ihr gesprochen?"
Statt einer Antwort drückte mir mein Lieblingsgrieche einen Kuss auf die Wange. „Ich habe sie noch nicht erreicht. Jetzt muss ich aber mal kurz weg."
Kaum war die Tür hinter ihm ins Schloss gefallen, griff ich zum Telefon, wild entschlossen, das Projekt „Ich-plane-griechische-Ostern-in-Deutschland" zu einem positiven Abschluss zu bringen. Doch da klingelte es an der Haustür. Meine Schwiegereltern standen draußen.
Mein Schwiegervater schleppte einen 10 Kilo-Sack Holzkohle, meine Schwiegermutter schleppte sich die beiden Stufen hoch.

Ich nenne meine Schwiegereltern nicht bei den Vornamen, sondern sage Yiayia (Oma) und Pappou (Opa) zu ihnen. So werden ältere Menschen in Griechenland gerne genannt, im Gegensatz zu hier. Unsere Freunde nennen sie auch nicht beim Vornamen, sondern sagen Thia (Tante) und Thio (Onkel) zu ihnen.
Der Pappou stellte den Sack auf den Balkon und lachte: „Wir haben dreißig Lammkoteletts bestellt!"
Ich lachte mit, aber dann stutzte ich.
Der Pappou erzählte diesen Witz sonst immer ganz anders, nämlich: „Ich gehe zum Türken und bestelle für Ostern 99 Lammkoteletts. Der Türke nickt, holt das Fleisch aus dem Kühlraum und schneidet die Koteletts. Dann fragt er, können es auch 100 sein? Nein, sage ich, wer soll denn so viele Lammkoteletts essen?

Ich sah meine Schwiegereltern verunsichert an. Wieso haben sie 30 Lammkoteletts bestellt, und warum schleppen sie die Holzkohle an? Habe ich vielleicht mal wieder etwas nicht richtig verstanden?
Die Yiayia setzte sich auf einen der Küchenstühle und sagte: „Dein Mann hat gesagt, wir grillen Ostern bei Euch."
Ich runzelte die Stirn, wer hatte da wen nicht richtig verstanden?
„Wollt ihr einen Kaffee?", fragte ich unverfänglich.
Die Yiayia schüttelte den Kopf. „Nein, wir wollen keine Mühe machen."
Ich lächelte gezwungen. „Kaffee kochen, macht keine Mühe." Dann fügte ich hinzu: „Ich dachte, wir gehen Ostern zusammen zum Griechen auf dem Großmarkt. Da ist Musik und Tanz."
Die Yiayia sah den Pappou an, der zog die Schultern hoch und setzte sich auf den anderen Küchenstuhl.
Während das Kaffeewasser kochte, bohrte ich weiter: „Was hat Alex denn genau gesagt? Wann wollen wir grillen und mit wem?"
Die Yiayia machte eine weltumfassende Armbewegung. „Ostersonntag, wir alle und Maria und die Kinder und deine Mama und Lena und..."
Plötzlich stand Alex in die Küche. Er war überraschend schnell zurückgekommen.
Er begrüßt seine Eltern, und ich deute auf den Holzkohlesack, rümpfe die Nase und stammle: „Wir... grillen... Ostersonntag ...? Habe ich gerade gehört."
Mein Mann sagte etwas auf griechisch zu seinen Eltern. Der Pappou redete auch griechisch und die Yiayia sowieso. Ich verstand nur: „Hol mir mal einen Ouzo", denn das sagte der Pappou auf Deutsch.

Als ich mit der Ouzoflasche, in der sich natürlich selbstgebrannter Tsipero befindet, in die Küche zurückkam, redeten immer noch alle drei gleichzeitig und griechisch.

Ich hielt meinem Schwiegervater ein Glas hin. „Vielleicht sprecht ihr mal Deutsch, dann verstehe ich auch etwas."

Der Pappou lachte: „Auch wenn wir griechisch sprechen, wissen wir hinterher selbst nicht, was wir gesagt haben und worauf wir uns geeinigt haben."

Die Yiayia lachte und sagte etwas auf griechisch. Mein Mann lachte auch. Schön, wenn alle so fröhlich sind, dachte ich lakonisch. Der Pappous trank sein Glas aus.

Aber, ich gab noch nicht auf. „Ich hatte ja gedacht, wir gehen alle zusammen zum Großmarkt.... Da haben wir alle Spaß. Wenn die Familie nach hier kommt, redet ihr die ganze Zeit nur griechisch..."

Die Yiayia legte mir mitleidig eine Hand auf den Arm. „Poulaki mou, (mein Vögelchen) verstehst du immer noch nix alles griechisch?"

Mein Mann lächelte: „Es ist ja noch nichts entschieden. Es sind ja nur verschiedene Möglichkeiten, die man in Betracht ziehen kann. Das mit dem Grillen bei uns ist eine sehr gute Idee." Er nickte seinen Eltern aufmunternd zu.

Schließlich verabschiedeten sich die Yiayia und der Pappou wortreich und auf griechisch. Mein Lieblingsgrieche schloss die Wohnungstür.
„Ich dachte, wir gehen alle zusammen zur griechischen Taverne auf dem Großmarkt", presste ich hervor. „Was habt ihr denn jetzt beschlossen?"
Mein Mann legte mir einen Arm um die Schulter, als wollte

er ein unruhiges Kind besänftigen. „Das ist doch wirklich eine gute Idee, wir grillen zusammen hier auf der Terrasse, dann sind wir unter uns..."
„Ich will nicht unter uns sein!", fiel ich ihm ins Wort und machte mich los aus seiner Umarmung. „Ich will auf dem Großmarkt Freunde treffen, lecker essen, tanzen... Ich will nicht den ganzen Tag in der Küche stehen, Kartoffelsalat kochen, der nicht so schmeckt wie der deiner Mutter, Salat schnibbeln, der dann nicht dünn genug geschnitten ist und holländische Tomaten vierteln, die niemals so gut schmecken können wie griechische... „
Mein Lieblingsgrieche sah mitleidig auf mich herab. „Das brauchst du auch gar nicht, wir grillen ja." Dann griff er nach der Zeitung, die auf dem Küchentisch lag. „Und überhaupt, es ist ja noch nichts entschieden. Wir überdenken die verschiedenen Möglichkeiten. Aber es ist ja schön, dass die Eltern Ostern hier sind, da werden wir auf jeden Fall etwas zusammen machen. Die Ouzounis und die Dimitroulas machen ja auch etwas mit ihren Familien."

Versöhnlich fügte er hinzu, „Ich rufe auch erst mal meine Schwester an."

Ich blieb allein in der Küche stehen, kniff die Augen zusammen und überlegte, meine Strategie zu ändern.
Wenig später stand ich im Arbeitszimmer meines Mannes und hielt ihm mein Handy vor die Nase. „Sieh mal, Dora hat eine SMS geschickt. Sie grillen Ostersonntag bei sich zu Hause und wir sind eingeladen. Es gibt Lamm und Musik und ..." ich lächelte hilflos, „...sie sprechen Deutsch."
Mein Lieblingsgrieche sah mich wohlwollend an. „Das ist schön. Wir grillen ja auch mit der Familie und dann machen wir auch Musik, und tanzen können wir später immer noch."

Ich beschloss, meine Schwägerin selbst anzurufen. Es waren keine zwei Wochen mehr bis zum griechischen Osterfest. Wenn ich nicht bald einen Tisch für uns reservieren würde, konnte es eng werden.
Wenn ich das Gespräch geschickt anfing und dann auf den Großmarkt zu sprechen käme und auf griechische Livemusik und Tanz, da würde meine Schwägerin nicht widerstehen können, da war ich mir sicher. Alle Griechen tanzen gerne.
„Hallo Maria, störe ich?“, flötete ich in mein Handy. Erst einmal für positive Stimmung sorgen, war meine Strategie.
„Ah, du bist es.“ Meine Schwägerin räusperte sich. „Ja, ganz ehrlich, es ist gerade ungünstig. Ich rufe dich gleich zurück.“ Schon war das Gespräch unterbrochen.
Ich nickte und ließ mich am Küchentisch nieder. Jetzt keinen Fehler machen, ermahnte ich mich. Es war auf jeden Fall besser, wenn ich zuerst mit Maria sprach. Vor mir lagen das Handy, das private Telefon und das Geschäftstelefon meines Mannes. Ich starrte die Geräte an und wartete, dass meine Schwägerin mich zurückrufen würde. Ich wagte nicht aufzustehen. Ich wollte kein Risiko eingehen. Das Starren war anstrengender, als ich gedacht hatte. Langsam fielen mir die Augen zu.

Aber Maria rief nicht zurück.

Meine Schwägerin rief erst am nächsten Tag an, und zwar auf dem Handy meines Mannes. Ich lehnte an der Küchentür und hörte, wie mein Mann mit seiner Schwester telefonierte. Er redete Deutsch.
„Ja, Maria, es ist eine gute Idee, Ostersonntag mit den Eltern bei uns zu grillen. Doch, das ist eine sehr gute Idee!“ Mehr verstand ich nicht, obwohl sie Deutsch sprachen.

Wenig später kam mein Lieblingsgrieche in die Küche, ich starrte ihn erwartungsvoll an. „Und? Was sagt Maria?"
Mein Mann strahlte. „Ich habe jetzt mit meiner Schwester gesprochen."
„Und?", fragte ich erneut.
„Es ist noch nichts entschieden. Aber es ist doch eine sehr schöne Idee, Ostersonntag mit der ganzen Familie bei uns zu grillen."
Ich schüttele den Kopf, zwang mich zu einem Grinsen und sagte: „Ich überlege ernsthaft, mir auch eine Angel zu kaufen." Ich hatte plötzlich großes Verständnis für meinen angelnden Schwager.

Gemüsegerichte / Vegetarische Gerichte

Bei den Griechen gibt es das Sprichwort:
Wo ein Esel verhungert, werden drei Griechen satt.

Wenn wir hier in Deutschland bei unserem griechischen Lieblingsrestaurant sitzen und die Speisekare aufschlagen - meist mit einer Auswahl von über 100 griechischen „Spezialitäten", wie Aphrodite-Teller: Fleischspieße mit Pommes und Salat, Hermes-Teller: Hackfleisch-Steak mit Pommes oder Reis und Salat, Aristoteles-Platte: Giros mit Pommes und Salat, Dionysios-Platte: Lammkotelett, Fleischröllchen und Fleischspieße mit Pommes, Zatziki und Salat, etc - haben wir den Eindruck, die Griechen würden unglaublich viel Fleisch essen. Aber diese Gerichte spiegeln nur, was die Griechen glauben, das wir Deutsche gerne essen: Fleisch und davon möglichst viel.

Da Griechenland immer ein eher armes Land war und Fleisch teuer, aufgrund des Klimas aber ein Paradies für Obst und Gemüse ist, bietet die griechische Küche weitaus mehr Gemüsegerichte, als wir annehmen. Außerdem haben die strengen Fastengebote der orthodoxen Kirche dazu beigetragen, dass eine Vielzahl an vegetarischen Spezialitäten und Genüssen auf dem griechischen Speiseplan stehen. Nicht zuletzt dadurch, dass gut zehn Wochen im Jahr auf Fleisch verzichtet, und dafür mehr Fisch, Obst und Gemüse gegessen wird, ist die griechische Küche so gesund.

Fast alle Vorspeisen werden ohne Fleisch zubereitet, dafür gibt es aber immer Salat und Gemüse und reichlich Kräuter.

Meine griechische Schwiegermutter kann an kaum einer Brennnesselpflanze und an keinem Löwenzahn vorbei gehen, ohne zu schwärmen, für welches schmackhafte Gericht man diese Kräuter eigentlich unbedingt pflücken und mitnehmen müsse.

Omelett mit wildem Gemüse - Omeléta me Chórta

500 g wildes Gemüse oder wilder Spargel (gibt es in türkischen und griechischen Lebensmittelläden)

5 Eier

250 g Schafskäse

Salz und Pfeffer

Olivenöl

Das Gemüse putzen, abspülen und trockentupfen. In einen Topf mit leicht gesalzenem Wasser geben und kochen lassen oder nur blanchieren (Wildgemüse).

Gemüse kleinschneiden, den Schafskäse zerbröseln und mit den Kräutern mischen.

Die Eier verquirlen.

Öl in einer Pfanne erhitzen, wenn es siedet, wird die Hälfte der verquirlten Eier hineingegeben. Sobald die Eier stocken, wird zunächst die Gemüse-Käsemasse daraufgegeben und dann die restlichen Eier.

Omlette wenden, damit es auch von der anderen Seite goldbraun wird.

Rote Beete - Pantzári

wie meine Freundin Suse sie macht

500 g Rote Beete

Olivenöl

Essig

Salz und Pfeffer

Walnüsse nach Geschmack

Die rote Beete werden geschält und in Salzwasser gekocht, bis sie weich geworden sind. Aus dem Wasser nehmen, abtropfen lassen und in Scheiben schneiden. Nach Belieben auch der Länge nach vierteln. Auf einem Teller mit hohem Rand anrichten und mit Öl und Essig bedecken. Mit etwas Salz und Pfeffer abschmecken und nach Belieben mit Walnüssen bestreuen.

Okras in Öl - Bámies Laderés

500 g Okraschoten

2 Tassen Essig

1 EL Öl

1 Zwiebel

3 Tomaten

Salz und Pfeffer

1 TL Zucker

Gehackte Petersilie zum Garnieren

Die Okras waschen und abtropfen lassen. In eine Schüssel geben, salzen, den Essig darübergießen und ziehen lassen. In der Zwischenzeit Öl in einer Pfanne erhitzen, die Zwiebel feinhacken und andünsten. Die Tomaten häuten und fein würfeln.

Die Okras abgießen, in die Pfanne geben und unter ständigem Rühren anbraten. Die Tomaten hinzufügen und mit Salz und Pfeffer würzen. Den Zucker hinzugeben und alles etwa 30 Minuten garen lassen. Mit gehackter Petersilie garnieren. Kann warm oder kalt verzehrt werden.

Grüne Bohnen - Fassolákia

500 g grüne Bohnen

1 Tasse Olivenöl

1 Zwiebel

2 Tomaten

Salz und Pfeffer

1 Tasse Wasser

2 Kartoffeln

Die Bohnen, waschen, abtropfen lassen und wenn nötig die Stiele abschneiden. Olivenöl in einem Topf erhitzen, die Zwiebel würfeln und anbraten. Die Bohnen hinzufügen. Die Tomaten häuten, fein würfeln und ebenfalls in den Topf geben. Mit Salz und Pfeffer würzen, das Wasser hinzufügen und alles garen lassen. Die Kartoffeln schälen, in kleine Würfel schneden und in den Topf geben. Bei mittlerer Hitze etwa 40 Minuten garen lassen, bei Bedarf etwas Wasser hinzugeben.

Bohnen *haben den Vorteil, dass sie leicht angebaut und gut gelagert werden können. Auf den griechischen Inseln sind Hülsenfrüchte wie Bohnen, Linsen, Kichererbsen, und Erbsen sehr beliebt und gelten in ganz Griechenland als Grundnahrungsmittel, da sie durch ihren Proteingehalt ein nahrhaftes, gesundes Lebensmittel sind. Sie haben zwar den Ruf, ein Arme-Leute-Essen zu sein, daher bei uns der abfällige Name „Saubohnen", als wären sie nur zum Tierfutter geeignet - aber die griechischen Inselbewohner haben eine Vielzahl schmackhafter Rezepte kreiert, die auch Feinschmecker überzeugen dürften.*

Gígantes *(Betonung auf dem „i") heißt übersetzt „Riesen", werden aber auch „Elefantes" genannt. Diese Bohnensorte wird im Norden Griechenlands in Kastoria angebaut und ist mit unseren dicken weißen Bohnen oder Saubohnen zu vergleichen. Gígantes haben aber mehr Geschmack und sind ganz leicht süßlich.*

Dicke weiße Bohnen mit Gemüse - Gígantes me Lachaniká

500 g dicke weiße Bohnen, Saubohnen

2 Stangen Staudensellerie

2 Tomaten

2 grüne Paprika

2 Zwiebeln

2 Möhren

5 El Olivenöl

Salz und Pfeffer

Die Bohnen werden über Nacht in kaltem Wasser eingeweicht. Die Bohnen abwaschen, in einen Topf geben, mit Wasser bedecken und ca. 20 Minuten kochen lassen.

Staudensellerie mit Blättern klein schneiden, Paprika, Zwiebeln und Tomaten würfeln und zu den Bohnen geben. Das Öl hinzufügen und mit Salz und Pfeffer würzen. Die Möhren schälen und in Scheiben schneiden und nach ca. 20 Minuten ebenfalls hinzugeben. Alles noch etwa 1 Stunde garen lassen, bis die Soße sich gebunden hat und die Bohnen gar sind.

Dicke Bohnen aus dem Ofen - Gígantes sto fúrno

500 g dicke weiße Bohnen, Saubohnen

1 Zwiebel

1 Knoblauchzehe

1 Bund Sellerie

2 Tomaten

5 EL Olivenöl

1 Tasse Wasser

1 TL Zucker

Salz und Pfeffer

Die Bohnen werden über Nacht in kaltem Wasser eingeweicht. Bohnen abwaschen, in einen Topf geben, mit Wasser bedecken und ca. 30 Minuten kochen lassen. In der Zwischenzeit wird die fein gehackte Zwiebel in einer Pfanne mit heißem Öl angebraten. Die Knoblauchzehe pressen und ebenfalls in die Pfanne geben. Tomaten und Sellerie kleinschneiden, in die Pfanne geben, eine Tasse Wasser und den Zucker hinzufügen. Alles gut verrühren und etwa 20 Minuten köcheln lassen.

Die Bohnen abgießen und auf einem Backblech verteilen. Die Soße darübergeben, mit Salz und Pfeffer würzen und ca. 30 Minuten im Ofen backen lassen.

Dicke Bohnen in Tomatensoße - Gígantes me Tomáta

500 g dicke weiße Bohnen, Saubohnen

200 ml Olivenöl

3 Zwiebeln

3 Möhren

4 Tomaten

½ Bund glatte Petersilie

Salz und Pfeffer

Die Bohnen über Nacht in kaltem Wasser einweichen. Bohnen gut abwaschen, in einen Topf geben, mit Wasser bedecken und ca. 30 Minuten köcheln lassen, bis sie weich werden.

In der Zwischenzeit die Zwiebel fein hacken, die Möhren schälen und in Scheiben schneiden, die Tomaten häuten und würfeln, die Petersilie feinhacken. Die Zwiebeln in einer Pfanne mit heißem Öl angebraten. Das Gemüse hinzufügen, mit Salz und Pfeffer würzen und abgedeckt etwa 20 Minuten köcheln lassen.

Die Bohnen abgießen und zu dem Gemüse geben. Kann warm oder kalt serviert werden.

Gebratene Bohnen - Gígantes Tiganití

500 g dicke weiße Bohnen, Saubohnen

Salzwasser

200 g Mehl

Salz und Pfeffer

2 Eier

2 EL Milch

4 Scheiben Zwieback

Olivenöl

glatte Petersilie

Die Bohnen über Nacht in kaltem Wasser einweichen. Bohnen abgießen, gut abwaschen, in einen Topf geben, mit Wasser bedecken, Salz hinzufügen und Minuten 30 Minuten kochen lassen, bis sie weich sind. Das Wasser abgießen und die Bohnen abtropfen lassen.

In der Zwischenzeit Mehl in einen großen Teller geben und mit Salz und Pfeffer würzen. Die Eier aufschlagen und in einer Schüssel mit der Milch verquirlen.

Den Zwieback zerstoßen und in eine weitere Schüssel geben.

Nun das Öl in der Pfanne erhitzen und die Bohnen einzeln, zuerst im Mehl, dann in der Eimischung und anschließend in den Zwiebackbröseln wälzen, bevor sie im heißen Fett gebacken werden.

Vor dem Servieren die Petersilie hacken und die Bohnen damit garnieren.

Kann als Beilage oder Vorspeise gereicht werden.

Gemüse-Okra-Eintopf - Briám

500 g frische Okraschoten

125 ml Essig

Salz

400 g Kartoffeln

2 Zucchini

1 Aubergine

2 Paprika (gelb oder rot)

4 Tomaten

2 Zwiebeln

1 TL gehackte Minze

250 ml Olivenöl

Salz und Pfeffer

Die Okraschoten waschen, trockentupfen und die Stiele entfernen. Essig und Salz in eine Schüssel geben und die Okra darin marinieren. Die Kartoffeln schälen und in Scheiben schneiden. Zucchini und Aubergine waschen, trockentupfen und in Scheiben schneiden. Die Paprika waschen, abtrocknen und in Würfel schneiden. Die Tomaten unter heißem Wasser häuten und würfeln, die Zwiebeln grob hacken

Den Backofen auf 180 Grad vorheizen.

Okra abgießen und mit den Kartoffeln und dem übrigen

Gemüse in eine gefettete Auflaufform geben und mischen. Minze, Olivenöl, Salz und Pfeffer vermengen und über das Gemüse geben. Etwas Wasser darüber geben und ca. 70 - 90 Minuten im Ofen garen lassen.

Griechischer Gemüseeintopf - Tourloú

400 g Kartoffeln

2 Auberginen

2 Zucchini

2 Stangen Sellerie

200 g Tomaten

2 Zwiebeln

2 Knoblauchzehen

5 EL Olivenöl

¼ l Instantgemüsebrühe

1 EL Oregano

1 EL Petersilie

Dill

Salz und Pfeffer

Die Kartoffeln schälen und vierteln. Auberginen, Zucchini, Sellerie und Tomaten waschen, putzen und würfeln. Zwiebeln und Knoblauch schälen und klein schneiden. Öl in einen großen Topf geben, die Kartoffeln darin anbraten. Zwiebeln und Knoblauch mit andünsten. Auberginen hinzufügen und andünsten. Zucchini, Sellerie, Tomaten und die Brühe hinzufügen. Etwa 30 Minuten bei geschlossenem Deckel köcheln lassen. Mit Salz und Pfeffer abschmecken, Oregano und Petersilie kleinhacken und hinzufügen. Vor dem Servieren mit Dill garnieren.

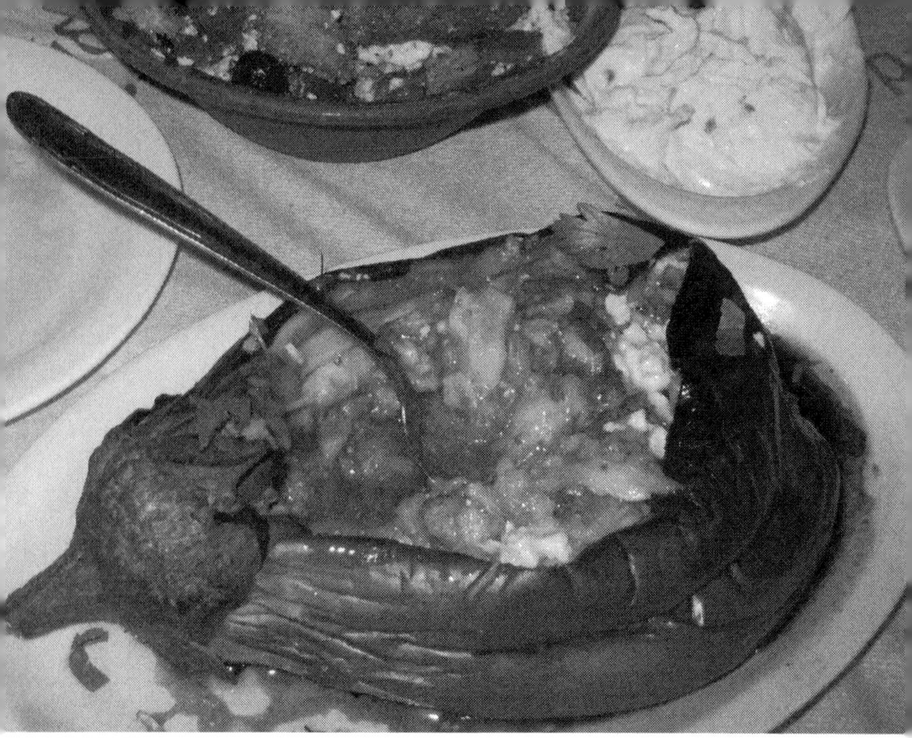

Gefüllte Auberginen - Melitzánes Imám

Dieses Rezept ist von Rula, die ich durch die Griechenland-hilfe kennengelernt habe. Sie engagiert sich in Deutschland für Griechen, die durch die Krise unverschuldet in Not geraten sind.

(Für 4 Personen)

8 Auberginen

2 große Zwiebeln

2-4 Tomaten

Petersilie

4 Knoblauchzehen

Olivenöl

Zucker

Auberginen putzen und eine Seite bis zur Hälfte einschneiden. Mit etwas Olivenöl bestreichen und auf ein Backblech legen und im Ofen bei 180 Grad etwa 15-20 Minuten leicht anbraten. In der Zwischenzeit die Zwiebeln feinwürfeln und in einer Pfanne mit reichlich Olivenöl anschwitzen. Die Tomaten putzen, würfeln und zu den Zwiebeln geben. Mit Salz, Pfeffer und etwas Zucker würzen und etwa 10-15 Minuten dünsten lassen. Die Petersilie kleinschneiden und die Knoblauchzehe in Viertel schneiden. Knoblauch und reichlich Petersilie hinzufügen.

Anschließend die Auberginen mit dem Gemüse füllen und nochmal bei 180 Grad etwa 40 Minuten garen lassen.

Dazu schmeckt Bauernsalat sehr gut.

Kichererbsen mit Auberginen - Revíthia me Melitzánes

ein Rezept von Rulas Mutter Koula Pani

½ kg Kichererbsen

2 TL Natron

Wasser

1 Zwiebel

6 EL Öl

1 kg Auberginen

Öl

3 Tomaten

Salz und Pfeffer

Paprikapulver

Die Kichererbsen mit dem Natron in einem Topf mit Wasser über Nacht einweichen lassen. Am Morgen abwaschen und gut abtrocknen. Die Kichererbsen in einen Topf mit Wasser geben und aufkochen lassen. Den Schaum mit einer Kelle abschöpfen. Die Zwiebel kleinschneiden und mit dem Öl zu den Kichererbsen geben. Auf kleiner Flamme garkochen und das Wasser verdunsten lassen.

Die Auberginen in längliche Scheiben schneiden und in etwas Öl anbraten.

Die Kichererbsen in eine Auflaufform geben und mit den Auberginenscheiben bedecken. Die Tomaten in Scheiben schneiden und auf die Auberginen legen. Mit Olivenöl beträufeln und mit Paprika, Salz und Pfeffer würzen. Bei 175 Grad etwa 20 Minuten im Backofen garen lassen.

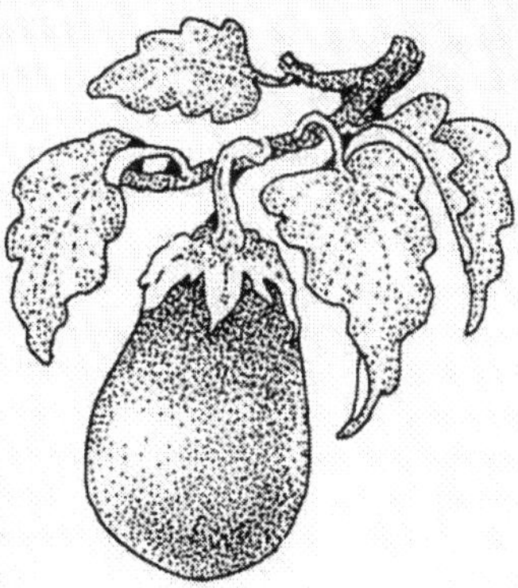

Hauptgerichte - Kyria Piata

Da Griechenland über 3000 Inseln hat, sind Fischgerichte äußerst beliebt.

Hingegen ist 80% des Landes gebirgig und eignet sich daher nicht als Weideland für Rinder, sodass in der griechischen Küche hauptsächlich Lamm- und Ziegenfleisch verarbeitet werden. Aber auch Huhn (kotópoulo) und Kaninchen (kounéli) finden sich auf dem Speiseplan.

Die griechische Köchin bevorzugt Gerichte, die im Backofen zubereitet werden (sto fúrno). Entweder werden die Speisen auch im Ofen warmgehalten oder lauwarm verzehrt, was ihrem Geschmack keinen Abbruch tut. Es wird immer mit viel Olivenöl gekocht und gerne mit Kräutern und Gewürzen verfeinert, wie z.B. Oregano (Rigani), Basilikum, Koriander, Minze, Paprika, Petersilie (bevorzugt wird glatte Petersilie), Salbei, Thymian und Zimt.

Zu griechischen Hauptgerichten werden meist Reis oder Kritharáki (reiskornförmige Nudeln) und Pommes frites oder Patatakia (frittierte Kartoffelscheiben) serviert und natürlich Brot, üblicherweise das typisch griechische Weißbrot.

Als Gemüsebeilagen werden häufig Bohnen, Auberginen und Bamies (Okraschoten) gereicht.

Giros, das gut gewürzte, geschnetzelte Schweinefleisch vom Drehspieß ist eins der bei uns bekanntesten griechischen Gerichte. Zusammen mit Pita, einer Brottasche mit Salaten und Tzatziki gefüllt, kennen wir es vom Schnellimbiss. Aber Restaurants in Griechenland bieten dieses Gericht eher selten an.

Souvlaki, mit Salz und Rigani (gerebelter Oregano) gewürzte Lamm - oder Schweinefleisch-Spießchen vom Grill sind bei uns ebenfalls bekannt und beliebt. In Griechenland haben sie eine lange Tradition und werden bei jedem Panigyri (Dorf- oder Tanzfest) angeboten.

Gefüllte Tomaten oder Paprika - Jemistá

8 große Tomaten oder Paprika

250 ml Olivenöl

5 Zwiebeln

250 g Reis

Minze

Olivenöl

Tomatensaft

Wasser

Salz und Pfeffer

Basilikum

Tomaten (oder Paprika) waschen und die obere Scheibe als Deckel abschneiden. Die Tomate aushöhlen (bei der Paprika entsprechend die Kerne entfernen) und das Fruchtfleisch pürieren. 100 ml Olivenöl in einen Topf geben und erhitzen, die gewürfelten Zwiebeln darin anbraten. Den Reis und das Fruchtfleisch dazugeben, mit Salz und Pfeffer würzen, umrühren und kurz aufkochen lassen. Die Flamme ausschalten und den Reis quellen lassen. Gegebenenfalls noch etwas Flüssigkeit hinzufügen. Die Minze feinhacken und unterrühren. Die Tomaten (Paprika) gut zur Hälfte füllen und in eine gefettete Auflaufform stellen. Den Backofen auf 180 Grad vorheizen. Olivenöl, Tomatensaft und 200 ml Wasser mischen und über die gefüllten Tomaten geben. Mit Salz und Pfeffer würzen und die

Deckel auf die Tomaten setzen. Etwa 1 Stunde im Backofen lassen, dann die Deckel entfernen und weitere 10 Minuten backen. Die Auflaufform aus dem Ofen holen, die Deckel wieder auflegen und mit dem fein gehackten Basilikum bestreuen.

Auberginenröllchen mit Rindfleisch - Rollákia melitzánes me vodinó

ein Rezept meiner Freundin Sofia, die eine großartige Köchin ist

(für 6 Personen)

1 kg Rindfleisch (Hals)

¼ Tasse Olivenöl

4 lange Auberginen

1 kl Dose gehackte Tomaten

1 gr. Zwiebel

2 EL Petersilie

Salz und Pfeffer

Das Fleisch waschen gut trockentupfen, in Stücke schneiden (etwa Eigröße) und in Olivenöl anbraten. Die Zwiebel würfeln, dazugeben und dünsten. Dann die Tomaten hinzufügen, alles weitere 5 Minuten dünsten lassen, und mit Salz und Pfeffer würzen. Die Petersilie dazugeben und alles ca. 90 Minuten bei kleiner Hitze garen lassen. Evtl. etwas Wasser dazugeben. (Oder ca. 20 Minuten im Schnellkochtopf fertig garen lassen.)

Die Auberginen längs in 4-5 Scheiben schneiden, mit Olivenöl bepinseln, salzen und im Backofen ca. 20 Minuten bei 220 Grad backen.

Jeweils ein Stück Fleisch mit einer Scheibe Aubergine umwickeln und in eine Auflaufform legen. Die Tomatensauce dazugeben. (In diesem Stadium kann man das Gericht auch einfrieren, am Vorabend im Kühlschrank auftauen lassen, und bevor die Gäste eintreffen, fertig backen.)

Im Backofen bei 200 Grad weitere 20 Minuten backen.

Als Beilage passen Brot, Reis oder Patates.

Griechischer Kartoffelauflauf - Moussaká

350 g festkochende Kartoffeln

2 Auberginen

3 EL Olivenöl

3 Tomaten

250 g Rindergehacktes

1 große Zwiebel

1 Knoblauchzehe

1 TL Oregano

1 TL Tomatenmark

Salz und Pfeffer

½ TL Zimt

250 g gewürfelte Tomaten

30 g Parmesan gerieben

Für die Sauce:

1 EL Butter

1 EL Mehl

190 ml Milch 1,5 %

1 TL Instant-Gemüsebrühe

1 Ei

Kartoffeln schälen, ca. 20 Minuten in kochendem Wasser garen und in Scheiben schneiden.

Die Auberginen waschen, in Scheiben schneiden und auf Küchenkrepp legen. Mit etwas Salz bestreuen, 10 Minuten ziehen lassen, abtupfen und in heißem Öl nach und nach beidseitig goldbraun braten. Etwas Pfeffer darübergeben, herausnehmen und auf Küchenkrepp abtropfen lassen. Zwiebel und Knoblauch schälen und hacken. Das Fleisch anbraten und Zwiebel und Knoblauch kurz mitbraten. Salz, Pfeffer und Zimt hinzugeben. Den frischen Oregano waschen, trocken schütteln, feinhacken und hinzufügen. Das Tomatenmark einrühren und kurz anschwitzen. Die Tomaten waschen, in Scheiben schneiden und dazugeben. Alles etwa 5 Minuten köcheln lassen.

Den Backofen auf 200°C vorheizen.

Die Sauce zubereiten:

Die Butter schmelzen, und das Mehl darin leicht anschwitzen. Milch und Brühe einrühren und aufkochen lassen. Nach weiteren 5 Minuten vom Herd nehmen. Das Ei verquirlen, etwas Sauce dazu nehmen und verrühren, dann alles in die Sauce einrühren.

Eine Auflaufform mit etwas Öl fetten. Zuerst die Kartoffeln, darüber das Hackfleisch, dann die Auberginen- und die Tomatenscheiben schichten. Die Sauce darübergießen und Parmesan darüber reiben. Im Ofen bei 200 Grad ca. 30-40 Minuten backen lassen.

Griechischer Nudelauflauf - Pastízio

1 Zwiebel

2 EL Olivenöl

450 g Gehacktes vom Rind

1 EL Tomatenmark

1 kl. Dose passierte Tomaten

Salz und Pfeffer

Paprika edelsüß

Zimt

½ Bund glatte Petersilie

300 g Makkaroni

80 g Parmesan

2 EL Butter

2 EL Mehl

250 ml Milch

200 ml Instand-Gemüsebrühe

1 Prise geriebene Muskatnuss

2 Eier

Olivenöl

Zwiebel schälen und würfeln, Öl in einer Pfanne erhitzen und die Zwiebeln andünsten. Das Hackfleisch hinzufügen und gut anbraten. Das Tomatenmark und die Dosentomaten zugeben und anbraten. Mit Salz, Pfeffer, Paprika und Zimt würzen. Die Petersilie waschen, trockentupfen, fein hacken und hinzufügen. Alles aufkochen und etwa 15 Minuten köcheln lassen.

Die Pfanne vom Herd nehmen und abkühlen lassen. Jetzt die Makkaroni in kochendem Salzwasser nach Packungsanweisung zubereiten, mit kaltem Wasser abschrecken und abtropfen lassen. Die Hälfte des Parmesan unter die Nudeln mischen.

Die Béchamelsoße zubereiten:

Butter schmelzen lassen, Mehl unter Rühren darin anschwitzen. Nach und nach Milch und Brühe einrühren. Soße aufkochen lassen und bei mittlerer Hitze ca. 4 Minuten unter Rühren weiter köcheln. Mit Salz, Pfeffer und Muskat abschmecken.

Die Sauce vom Herd nehmen. Die Eier verquirlen und in die Béchamel ein rühren. Eine Auflaufform fetten und die Hälfte der Makkaroni in die Form geben. Die Hackfleischmasse darauf verteilen. Mit den restlichen Nudeln bedecken und die Béchamelsoße darüber geben. Mit dem restlichen Parmesan bestreuen. Im vorgeheizten Backofen bei 200 Grad etwa 45 Minuten backen lassen.

Schmorfleisch mit Zwiebeln - Stifádo

1 kg Kalbfleisch (auch mit Rind-, Schwein-, Kaninchen-, Lamm- oder Ziegenfleisch möglich)

2 EL Butter

1 kg Scharlotten

500 g Tomaten (aus der Dose)

250 ml Mavrodaphne (roter Likörwein)

2 Lorbeerblätter

½ TL Zimt

1 TL Paprika mild

Salz und Pfeffer

Das Fleisch würfeln und die Butter in einem Topf zerlassen. Das Fleisch von allen Seiten gut anbraten. Die Scharlotten schälen, würfeln und in den Topf geben. Die Tomaten hinzufügen. Kurz aufkochen lassen, dann den Wein dazugeben, und anschließend die Gewürze hinzufügen. Mit Wasser anschütten, sodass alles gut bedeckt ist. Den Topf mit dem Deckel verschließen und alles ca. 1 Stunde bei kleiner Temperatur garen lassen. Ab und zu prüfen, ob Wasser zugegeben werden muss. Das Stifado ist servierfertig, wenn das Fleisch gar und der Sud eingedickt ist.

Schmorhuhn mit Bohnen - Kotópulo

(für 4 Personen)

1 Poularde ca. 1800 g

Salz und Pfeffer

1 Zwiebel

1 Zitrone (unbehandelt)

2 EL Olivenöl

1 Prise Oregano

2 Zwiebeln

1 Zweig frischer Thymian

2 Knoblauchzehen

1 Glas trockenen Weißwein

200 ml Gemüsebrühe (Instant)

Salz und Pfeffer

300 g frische, grüne Bohnen

1 Zitrone

Salz und Pfeffer

Oregano

Das Huhn gut waschen, trockentupfen und von innen und außen gut mit Salz und Pfeffer einreiben.

Eine Zwiebel schälen und in Spalten schneiden. Die Zitrone gründlich mit heißem Wasser abwaschen und in dünne

Scheiben schneiden. Das Huhn mit den Zwiebel- und Zitronenstücken füllen und in einen Bräter geben. Das Huhn mit Olivenöl bestreichen und mit Oregano bestreuen. Zwei Zwiebeln schälen und in Spalten schneiden, den Thymian grob hacken und beides mit in den Bräter geben.

Den Ofen auf 200°C vorheizen.

Den Knoblauch schälen, pressen und in den Bräter geben, den Wein hinzufügen.

Die Brühe angießen, und den Bräter mit Deckel in den Ofen stellen.

Bei 200 Grad etwa 90 Minuten schmoren lassen.

Die Bohnen putzen, halbieren und in einen Topf mit Salzwasser geben. Etwa 10 Minuten kochen lassen und anschließend abschrecken.

Zum Ende der Garzeit die zweite Zitrone waschen, in Scheiben schneiden und mit den Bohnen in den Bräter geben. Ohne Deckel alles noch einmal etwa 15 Minuten schmoren lassen und vor dem Servieren mit Salz, Pfeffer und Oregano abschmecken.

Hähnchen mit Zitrone im Backofen - Kotópulo me lemonáto sto fúrno

wie Koula Pani sie macht

1 Hähnchen

½ Tasse Zitronensaft

Salz und Pfeffer

Senf

Oregano

½ Tasse Öl

2 kg Kartoffeln

Margarine

Wasser

3 Tomaten

Olivenöl

Salz + Pfeffer

Das Hähnchen gründlich waschen und trockentupfen. Salz, Pfeffer, Senf, Oregano, Öl und Zitronensaft zusammen verrühren und das Hähnchen von außen und innen gut damit einreiben. Den Rest der Soße mit dem Hähnchen in einen Bräter geben. Die Kartoffeln schälen und um das Hähnchen herum in den Bräter legen. Margarine in Flocken auf Kartoffeln und Fleisch verteilen, etwas Wasser hinzufügen. Mit Alufolie bedecken und bei 180 Grad etwa 90 Minuten im Ofen garen lassen. Nach etwa 30 Minuten Garzeit wird die Alufolie entfernt.

Gebratene Hähnchenleber - Sikotákia Pulión

5 Zwiebeln

1 kg Hähnchenleber

2 EL Butter

250 ml trockenen Weißwein

2 Äpfel

3 kleine Zucchini

Mehl

Olivenöl

Salz + Pfeffer

Glatte, gehackte Petersilie

Die Zwiebeln fein hacken, die Hähnchenleber waschen und trockentupfen. Die Butter in einer Pfanne erhitzen und Zwiebeln und Leber darin anbraten. Mit dem Wein ablöschen.

Die Äpfel schälen, in Scheiben schneiden und hinzufügen. Wenn sich die Flüssigkeit etwa zur Hälfte reduziert hat, die Pfanne vom Herd nehmen.

Die Zucchini waschen, in Scheiben schneiden, salzen, pfeffern und in Mehl wälzen.

Olivenöl in einer Pfanne erhitzen und die Zucchini darin von beiden Seiten goldbraun anbraten. Die Leber über die

Zucchinischeiben geben und alles noch ein paar Minuten erhitzen.

Dann auf Tellern anrichten, mit gehackter Petersilie garnieren und heiß servieren.

Kalbsbraten - Kokinistó

nach einem Rezept von Koula Pani

1 ½ kg Kalbsfleisch in Stücke geschnitten

6 EL Olivenöl

1 große Zwiebel

1 kg Tomaten oder 400g aus der Dose

1 EL Essig

Salz und Pfeffer

1 TL Zucker

Wasser

Das Fleisch mit dem Olivenöl in einer Pfanne oder einem Bräter von allen Seiten anbraten. Die Zwiebel fein würfeln und hinzufügen. Die Tomaten in Scheiben schneiden (oder Tomaten aus der Dose verwenden) und in den Bräter geben. Essig, Salz und Pfeffer mit dem Zucker und etwas Wasser verrühren und über das Fleisch geben. Alles ca. 60 Minuten garen lassen und z.B. mit Kartoffen und grünen Bohnen servieren.

Kalbfleisch mit Backpflaumen - Moshári me Damáskina

1 kg Kalbfleisch aus der Schulter

6 EL Olivenöl

3 Zwiebel

200 ml trockenen Weißwein

2 Lorbeerblätter

½ TL Zimt

½ TL Zucker

500 g Backpflaumen

Salz und Pfeffer

Das Fleisch in Stücke schneiden und mit dem Olivenöl in einer Pfanne oder einem Bräter rundum anbraten. Die Zwiebel schälen, kleinhacken und hinzufügen. Mit dem Weißwein ablöschen und die Lorbeerblätter dazugeben. Zimt und Zucker vermischen und hinzufügen, mit Salz und Pfeffer würzen. Soviel Wasser dazugießen, dass alle Zutaten bedeckt sind. Alles kurz aufkochen lassen und dann die Hitze wieder reduzieren. Weiter schmoren lassen, bis das Fleisch fast gar ist. Den Boden eines großen Topfes mit den Backpflaumen auslegen, das Fleisch mit der Soße darüber geben. Bei mittlerer Hitze noch weitere 15 Minuten garen lassen und anschließend heiß servieren.

Gefüllte Hackfleischröllchen - Biftéki me Féta

750 g Hackfleisch vom Rind

1 Ei

2 EL Paniermehl

1 EL Ketchup

60 g schwarze Oliven, ohne Stein

1 TL Salbei, frisch oder getrocknet

Salz und Pfeffer

120 g Fetakäse

3 EL Olivenöl

Das Hackfleisch mit dem Ei, Paniermehl und Ketchup vermengen.

Oliven kleinhacken, Salbei waschen, zupfen und ebenfalls kleinhacken. Beides zu der Hackfleischmasse hinzufügen und mit Salz und Pfeffer würzen.

Den Fetakäse in 15 Streifen schneiden.

Von der Fleischmasse 15 längliche Röllchen formen und jeweils in die Mitte einen Streifen Feta geben. Das Öl in der Pfanne erhitzen und die gefüllten Fleischröllchen darin etwa 10 Minuten von allen Seiten braten.

Gebackene Reisnudeln mit Gemüse - Jiuvétsi me Lachaniká

1 Zwiebel

2 Knoblauchzehen

1 Stange Sellerie

3 Tomaten

1 rote Paprika

250 ml Olivenöl

Salz und Pfeffer

500 g Kritharáki

200 g Schafskäse

Oregano

Die Zwiebel schälen und fein hacken, den Knoblauch schälen und in dünne Scheiben schneiden. Sellerie ebenfalls in dünne Scheiben schneiden. Die Tomaten waschen, schälen und klein würfeln. Paprika waschen, putzen und in feine Stücke schneiden

Das Olivenöl in einem großen Topf erhitzen, das Gemüse zugeben, mit Salz und Pfeffer würzen und 5 Minuten köcheln lassen. Den Herd ausstellen und die Reisnudeln unter das Gemüse rühren. Die Mischung in eine feuerfeste Auflaufform oder in den Bräter geben. Mindestens die doppelte Menge heißes Wasser hinzufügen und einrühren. Bei ca. 180 Grad etwa 60 Minuten im vorgeheizten

Backofen garen lassen. Den Schafskäse darüber bröseln, mit Oregano bestreuen und noch ein paar Minuten in den Ofen schieben.

Wer es lieber nicht vegetarisch mag, kann noch 500 g Hackfleisch anbraten und unter die Mischung geben, bevor der Schafskäse darüber gestreut wird.

Kritharáki *sehen aus wie große Reiskörner, sind aber kleine Nudeln, die in reiskornähnlichen Formen gepresst werden. Bei der Zubereitung werden sie aber nicht wie Nudeln mit reichlich Wasser gekocht, sondern nur in der Menge Wasser, die sie selbst aufnehmen können. Das ist etwa dreimal so viel Salzwasser wie Reisnudeln. Darin sollen die Kritharáki so lange köcheln, bis sie alle Flüssigkeit aufgesogen haben.*

Hackfleischauflauf mit Kritharáki - Jiuvétsi me Kíma

500 g Hackfleisch halb und halb

1 Zwiebel

4 EL Olivenöl

1 EL Tomatenmark

2 Knoblauchzehen

Salz und Pfeffer, Cayennepfeffer

1 Dose passierte Tomaten

2 EL Crème fraiche

100 ml Milch

700 ml Instant-Gemüsebrühe

250 g Kritharáki

1 Prise Zimt

1 Prise Oregano

250 g Feta

2 EL Olivenöl

Die Zwiebeln kleinhacken und mit dem Hackfleisch in Olivenöl anbraten. Die Knoblauchzehen pressen und mit anschwitzen lassen. Das Tomatenmark hinzugeben und mit Salz, Pfeffer und Cayennepfeffer würzen.

Die passierten Tomaten hinzugeben und Milch und Creme

fraiche unterrühren. Anschießend die Gemüsebrühe angießen. Die Nudeln hinzufügen, gut unterrühren und ca. 10 Minuten garen lassen.

Sobald die Flüssigkeit aufgesogen wurde, alles in eine Auflaufform geben, den Fetakäse gewürfelt darübergeben und ca. 30 Minuten bei 200° Grad backen lassen.

Hackfleischröllchen aus Smyrna - Soutzukákia Smirníka

ein Rezept von meiner griechischen Freundin Annie Knie

1 kg Gehacktes

5 Knoblauchzehen

¼ Tasse Weißwein

1 TL Kreuzkümmel

1 Tasse mit in Wasser eingeweichtem Brot

1 Ei

¼ Tasse Öl

Salz, Pfeffer

Alles zusammen zu einem Teig verarbeiten und in kleine, längliche Stücke formen. Diese in Öl braten.

Für die Soße:

2 Tassen geriebene Tomaten

3 Tassen Wasser

1 EL Butter

Salz, Piment, Zimt und 3 Lorbeerblätter

Alles zusammen zu einer Soße kochen, die Röllchen zugeben und 10 – 15 Minuten zusammen kochen. Mit Bulgur oder mit Reis servieren.

Gefüllter Schweinebraten - Spalá jemistí

nach Koula Pani

2 ½ kg Schweinefleisch (ohne Knochen ohne Fett)

1 EL Senf

1 EL Öl

1 Prise Thymian

1 Prise schwarzer Pfeffer

1 Zwiebel

2 Knoblauchzehen

1 grüner Apfel

Das Fleisch einschneiden und auseinanderklappen. Von innen und außen mit Senf und Öl einreiben und salzen. Apfel, Zwiebel und Knoblauch reiben, mischen und auf das Fleisch geben.

Das Fleisch aufrollen und in Alufolie einwickeln. Auf einem Backblech im Ofen bei ca. 160 Grad zweieinhalb Stunden garen und anschließend auf einem Gitter etwas auskühlen lassen.

Lammfleisch-Eintopf mit Kritharáki - Arnáki Jiuvétsi

nach einem Rezept meiner Freundin Angeliki

(für 4 Personen)

1 kg Lammfleisch

½ Tasse Margarine

1 Zwiebel feingeschnitten

5 reife Tomaten

Salz und Pfeffer

1 Prise Zucker

500 g Kritharáki

Wasser

geriebener Käse

Das Lammfleisch in Würfel schneiden und mit der Margarine in einer Pfanne anbraten. Die Zwiebeln feinhacken und dazugeben. Die Tomaten schälen, pürieren und hinzufügen. Mit Zucker, Salz und Pfeffer würzen. Einen Deckel auf die Pfanne geben und etwa eine Stunde braten lassen. Das Lammfleisch mit der Soße in einen Tontopf oder auf ein Blech geben. Die Kritheraki-Nudeln und entsprechend viel warmes Wasser dazugeben (3 Tassen Wasser je 1 Tasse Reisnudeln) und vermischen. Mit geriebenem Käse bedecken und im Backofen bei 160 Grad etwa 30 – 40 Minuten garen lassen.

Lamm aus dem Backofen - Arni Foúrnou

ein Rezept von Taxiárchis Panis aus Trikala

2,5 kg Lammfleisch, am besten Lammkeule

6 EL Olivenöl

1 Zitrone

Salz und Pfeffer

2 Knoblauchzehen

Oregano

2 Tassen Weißwein

2 kg Kartoffeln

Das Fleisch waschen und gut trockentupfen. Mit Salz, Pfeffer, Zitrone und Öl einreiben

Die Knoblauchzehen an mehreren Stellen in das Fleisch schieben. Anschließend mit Oregano würzen. Das Fleisch in eine feuerfeste Auflaufform oder einen Bräter legen und mit Alufolie bedecken. Bei niedriger Temperatur, etwa 180 Grad ungefähr 160 Minuten garen lassen. Zwischendurch mit dem Weißwein beträufeln. Die Kartoffeln schälen und nach etwa 60 Minuten Garzeit hinzufügen. Erneut mit Salz, Pfeffer und Oregano würzen und mitgaren lassen.

Kléftes – Räuber

In den Bergen Griechenlands und Zyperns lebten jahrelang gefürchtete Räuberbanden. Mit Beginn des Unabhängigkeitskrieges, der 1821 begann, entwickelte sich ein Nationalbewusstsein und diese Räuber wurden zu Unabhängigkeitskämpfern gegen die jahrhundertelange Knechtschaft der Osmanen. Die Kleftes waren erfolgreiche Guerillakämpfer im griechischen Bürgerkrieg. Da sich die Räuber und späteren Rebellen nicht nur von Viehdiebstahl ernährten, ging Kléftiko als traditionelles griechisches Gericht in die Geschichte ein. Ursprünglich sollen die Räuber und Freiheitskämpfer dieses Gericht in luftdicht verschlossenen Lehmöfen tagelang gegart haben. Kleftiko wird traditionell aus Lamm-, Ziegen- oder Rindfleisch von älteren Tieren zubereitet. Zunächst ist das Fleisch eher zäh und hart, aber nach 48 Stunden bei niedriger Temperatur im Backofen ist es innen zart und außen von einer köstlich knusprigen Hülle umgeben.

Fleisch mit Gemüse aus dem Backofen - Kléftiko

ein Rezept meiner Schwiegermutter

(für 4 Personen)

Olivenöl

3 große Zwiebeln

1 kg Kartoffeln

2 Möhren

1 kg Fleisch von Lamm (oder Kalb oder Schwein)

2 Knoblauchzehen

1 EL Majoran, fein gehackt

1 EL Thymian, fein gehackt

2 rote Paprika

2 grüne Paprika

3 große reife Tomaten

Salz und Pfeffer

Oregano

½ Bund glatte Petersilie

Etwas Olivenöl in einen Bräter geben. Die Zwiebeln häuten, in Scheiben schneiden und den Boden des Bräters damit auslegen. Die Kartoffen schälen, in Scheiben schneiden und auf die Zwiebeln schichten. Die Möhren schälen, in Scheiben schneiden und auf die Kartoffen schichten. Das Fleisch waschen, trockentupfen und grob würfeln, über die Kartoffeln verteilen. Die Knoblauchzehen häuten, in dünne Scheiben schneiden und über das Fleisch verteilen. Majoran, Thymian, Salz und Pfeffer mischen und über das Fleisch geben.

Die Paprika waschen, in Streifen schneiden, gleichmäßig über dem Fleisch verteilen, mit Salz und Pfeffer würzen und 1 EL Olivenöl darübergeben. Die Tomaten waschen, würfeln, in den Bräter schichten, mit Salz, Pfeffer und Oregano würzen und mit 2 EL Olivenöl beträufeln.

Bei 180 Grad 1 bis 2 Stunden garen lassen, bis das Fleisch schön zart ist. Die Petersilie kleinschneiden und über den Auflauf geben.

Lammkotelett - Paidákia

12 Lammkoteletts

8 EL Öl

2 Knoblauchzehen

1 EL Oregano

Salz

Die Knochen mit dem Messer abschaben (weil es schöner aussieht).

Knoblauch schälen und durch die Presse drücken. In das Öl einrühren und die Koteletts damit bestreichen. Auf eine Platte geben und abgedeckt im Kühlschrank ziehen lassen.

Salz und Oregano mischen, die Koteletts damit würzen und ca. 2 Minuten pro Seite grillen.

Ziege mit Joghurt - Kazíki me Jaoúrti

1 kg Ziegenfleisch (geht auch mit Lammfleisch)

2 Esslöffel Olivenöl

1 Zitrone

1 Muskatnuss gerieben

2 Eier

3 EL Olivenöl

750 g Joghurt

Salz

Das Fleisch waschen, gut trockentupfen und salzen und in eine feuerfeste Form geben. Die Zitrone auspressen und das Fleisch mit dem Saft bestreichen. Anschließend mit Olivenöl beträufeln.

Im Backofen bei 180 Grad etwa 90 Minuten backen lassen. Das Fleisch aus dem Ofen holen und mit Muskatnuss bestreuen.

Jetzt werden die Eier verquirlt, Öl und Joghurt hinzugefügt, alles gut verrührt und anschließend über das Fleisch gegeben.

Den Braten wieder in den Ofen geben und weiter backen lassen, bis die Flüssigkeit aufgesogen worden ist.

Kaninchen-Zwiebeleintopf - Kounélistifado

nach meiner Freundin Sofia Ouzouni, die ein Reisebüro führt und auf Griechenlandreisen spezialisiert ist

(für 6 Personen)

Für die Marinade

1/8 l Weinessig

1/8 l Rotwein

2-3 Zwiebeln

15 Pfefferkörner

1 Zimtstange

8 Gewürznelken

2 Knoblauchzehen

3 Lorbeerblätter

1 Kaninchen oder Kaninchenteile ca.1,5 kg

5 EL Olivenöl

1 TL Tomatenmark

1,5 kg kleine Zwiebeln

Salz

Am Vortag aus Essig, den grob zerkleinerten Zwiebeln und den übrigen Zutaten eine Marinade zubereiten und in einen großen Gefrierbeutel geben. Das Fleisch darin einlegen und dicht verschließen. Über Nacht ziehen lassen und mindestens einmal wenden.

Am nächsten Tag die Kaninchenteile mit Küchenpapier trockentupfen. Zwiebeln schälen und das Fleisch in einem Bräter mit Olivenöl kräftig anbraten. Die geschälten Zwiebeln mit anbraten. Anschließend Marinade und Tomatenmark dazugeben.

Das Gericht salzen und bei kleiner Hitze ca. 2 Stunden auf dem Herd oder im Backofen schmoren lassen.

Vor dem Servieren mit Salz abschmecken. Weißbrot und einen leichten Salat dazu servieren.

Würzige Würstchen aus Serres mit Bier - Loukánka Tzoumagiás me Bíra

wie Annie Knie sie macht, die ich durch die Deutsch-Griechische Gesellschaft kenne

340 g Würstchen in Stücke geschnitten

2-3 große Kartoffeln gewürfelt

1 Paprika Florinis (länglich und rot) in Stückchen geschnitten

400 g Champignons in Scheiben

6 Scheiben eingelegte Tomaten, kleingeschnitten

1 EL frischer Rosmarin

330 ml Bier

3 EL Olivenöl

3 EL Olivenöl aus dem Glas der eingelegten Tomaten

Salz, Pfeffer und Oregano

Alles zusammen in den vorgewärmten Backofen (200°) auf einem Backblech mit Alufolie bedeckt 45 Minuten garen. Dann ohne Alufolie noch 35 Minuten weitergaren. Mit karamelisierten Zwiebeln garniert servieren.

Meeresfrüchte und Fischgerichte - Thalássios kai Psária

Seezunge aus dem Backofen - Glóssa sto Fúrno

2 filetierte Seezungen

Olivenöl

150 ml Weißwein (süß)

2 Lauchzwiebeln

1 EL Korianderblätter oder Liebstöckl

1 TL Oregano

Salz und Pfeffer

2 Eier

Die Seezungenfilets in eine Auflaufform geben und Öl und Wein darüber geben. Lauchzwiebeln kleinschneiden, Korianderblätter hacken und beides über den Fisch geben. Bei 180 Grad etwa 20 Minuten im Ofen garen, dann herausnehmen, die Filets vorsichtig aus der Form heben und den Sud durch ein Sieb schütten. Oregano, Salz und Pfeffer in den Sud geben, die Eier verquirlen und ebenfalls in den Sud geben. Den Fisch zurück in die Auflaufform legen und mit dem Sud übergießen. Zurück in den Backofen und so lange garen, bis die Soße bindet. Mit frischem Pfeffer aus der Mühle würzen und servieren.

Lachs aus dem Backofen - Solomós sto Fúrno

nach einem Rezept meiner Schwiegermutter

(Für 4 Personen)

Olivenöl

1 große Zwiebel

1 kg Kartoffeln

Salz und Pfeffer

Rosmarien

2 Knoblauchzehen

1 Zitrone

4 Scheiben Lachs

2 große reife Tomaten

Oregano

Eine Auflaufform mit Olivenöl beträufeln. Die Zwiebel in Scheiben schneiden, die Kartoffeln schälen, ebenfalls in Scheiben schneiden und in die Auflaufform schichten. Salzen, pfeffern etwas Rosmarin darüber streuen. Die Knoblauchzehen schälen, in dünne Scheiben schneiden und darüber verteilen. Eine halbe Zitrone auspressen mit 1 Löffel Olivenöl mischen und über die Zwiebeln geben.

Die Lachsscheiben auf die Kartoffeln legen, mit Salz bestreuen und etwas Zitrone darüber träufeln.

Die Tomaten waschen, in Scheiben schneiden und gleichmäßig auf dem Lachs verteilen. Zum Schluss Salz, Olivenöl und etwas Oregano darübergeben. Bei 180 Grad etwa 25 bis 30 Minuten garen, bis die Kartoffeln fertig sind. Bei Bedarf etwas Wasser über den Auflauf träufeln.

Noch heiß servieren, dazu passt ein frischer Salat.

Dorade aus dem Backofen - Psári sto Fúrno

4 Doradenfilets

500 g Kartoffeln

200 ml Olivenöl

2 Zitronen

300 ml Wasser

frischer Oregano

Salz und Pfeffer

Eine Auflaufform mit Öl einpinseln und die Doradenfilets hineingeben. Kartoffeln schälen, in dünne Scheiben schneiden und um die Filets herum verteilen. Alles mit Salz und Pfeffer würzen. Die Zitronen pressen, Zitronensaft, Olivenöl und Wasser mischen und über den Fisch geben. Den Backofen auf 180 Grad vorheizen. Den Oregano kleinschneiden und über die Fischfilets streuen. In den Backofen schieben und etwa 1 Stunde garen lassen.

Dorade vom Grill - Psári Sháras

1 kg Dorade oder anderer Fisch z.B. Rotbarbe

200 ml Olivenöl

Saft von 2 Zitronen

½ Bund glatte Petersilie

1/4 TL Oregano

Salz und Pfeffer

Die Fische schuppen, die Flossen entfernen, ausnehmen und gründlich waschen.

Öl in ein Schüsselchen geben, Zitronensaft, Salz und Pfeffer einrühren und die Fische damit bestreichen.

Auf dem Grill von beiden Seiten bräunen. In der Zwischenzeit die Petersilie kleinschneiden Die Fische auf einer Platte anrichten, mit Oregano bestreuen und den Rest der Öl-Zitronenmischung darüber geben. Mit Zitronenscheiben garniert servieren.

Makrele mit Oregano - Kolií me Rígani

4 Makrelen

Salz

4 Knoblauchzehen

150 ml Olivenöl

¼ TL Oregano

Saft einer Zitrone

Salz und Pfeffer

1 Zitrone

Die Makrelen ausnehmen, wachen und mit Salz einreiben. Etwa 60 Minuten einwirken lassen. Die Makrelen in einen Bräter oder auf ein Backblech legen. Den Knoblauch in dünne Scheiben schneiden und auf den Fischen verteilen. Olivenöl, und Oregano darübergeben und die Makrelen mit dem Zitronensaft beträufeln. Mit Salz und Pfeffer würzen und etwas Wasser hinzugeben. Alles in den Ofen geben und bei 180 Grad etwa 1 Stunde garen lassen. Mit Zitronenfilets garniert servieren.

Sardinen in der Pfanne - Sardína

1 kg Sardinen

Salz

Mehl zum Wenden

Olivenöl

Zitrone zum Garnieren

Die Fische gründlich waschen, an der Bauchseite öffnen und sorgfältig alle Innereien herausholen.

Olivenöl in einer Pfanne erhitzen. Die Sardinen leicht salzen, in Mehl wenden und in die Pfanne mit dem heißem Öl geben und goldgelb braten lassen. Auf einem Teller anrichten und mit Zitronenscheiben garnieren.

Sardinenfilets mit Zitronensoße - Sardéla me sáltsa lemoní

1 EL Olivenöl

1 kg Sardinen (küchenfertig ohne Mittelgräte)

2 Zitronen

200 g saure Sahne

½ TL Oregano

Salz und Pfeffer

3 Tomaten

Eine Auflaufform mit Olivenöl einfetten, die Sardinenfilets hineinlegen. Die Zitronen auspressen und den Saft mit der sauren Sahne, dem Oregano vermischen, mit Salz und Pfeffer würzen und über die Fische geben. Die Tomaten in Scheiben schneiden und die Filets damit bedecken. Bei 200 Grad etwa 30 Minuten garen lassen.

Meerbrasse aus dem Backofen - Sinagrída sto Fúrno

4 Lauchzwiebeln

120 ml Olivenöl

2 große Tomaten

1 Bund glatte Petersilie

2 Knoblauchzehen

200 ml Weißwein (trocken)

Salz und Pfeffer

2 Meerbrassen küchenfertig

1 Zitrone

100 g Schafskäse

Oregano

Die Lauchzwiebeln putzen, in 5 cm lange Stücke schneiden und in einer Pfanne mit heißem Öl anbraten. Die Tomaten häuten, pürieren und zu den Zwiebeln geben. Die Petersilie fein hacken, den Knoblauch pressen und beides in die Pfanne geben. Olivenöl hinzufügen und kurz aufkochen lassen. Mit Wein löschen, mit Salz und Pfeffer würzen und ca. 10 Minuten köcheln lassen.

Die beiden Meerbrassen in einen Bräter oder auf ein geöltes Backblech legen. Die Zitrone pressen und den Saft über die Fische geben, mit Salz und Pfeffer würzen. Die Soße über die Fische geben und im Backofen bei 200 Grad etwa 45 Minuten backen. Vor dem Servieren den Schafskäse über die Fische bröseln und mit Oregano bestreuen.

Muscheln in Wein mit Aygolemono (Zitrone-Ei-Mischung) - Mísi me Krassí

2 kg Miesmuscheln küchenfertig

1 Zwiebel

1 Zitrone

¼ l Weißwein, trocken

1 EL Olivenöl

1 TL Fenchelsamen

1 Lorbeerblatt

1 TL Pfefferkörner, schwarz

½ TL Salz

1 Zitrone

2 Eier

Salz und Olivenöl

Die Muscheln waschen (wenn sie nicht küchenfertig sind, gründlich abbürsten).

Muscheln, die sich auf Fingerdruck nicht schließen, wegwerfen.

Die Zwiebel schälen und grob hacken. Den Saft einer Zitrone auspressen.

Etwa 1 l Wasser in einen großen Topf geben, Zwiebel, Zitronensaft, Weißwein, Olivenöl und die Gewürze hinzugeben, erhitzen und ca. 5 Minuten köcheln lassen.

Die Muscheln dazugeben und bei starker Hitze zugedeckt weitere 5 Minuten kochen lassen.

Die Muscheln herausnehmen und alle, die sich nicht geöffnet haben, entfernen.

Die Muscheln warm halten.

Um das Avgolemono zuzubereiten, wird die Zitrone ausgepresst. Die beiden Eier nach und nach mit dem Saft verquirlen und dann mit dem heißen Muschelsud verrühren.

Den Sud erhitzen - aber keinesfalls kochen lassen. Wenn die Sauce gebunden ist, über die Muscheln gießen.

Miesmuscheln mit Reis - Midopílafo

1 kg Miesmuscheln

2 Zwiebeln

200 ml Olivenöl

Wasser

200 ml Weißwein, trocken

4 Tomaten

500 g Reis

Salz und Pfeffer

Glatte Petersilie, fein gehackt

Dill, fein gehackt

Die Muscheln, waschen, bürsten und alle Muscheln, die sich schon geöffnet haben, entfernen.

Die Zwiebeln fein hacken, Olivenöl in einem großen Topf erhitzen und darin die Zwiebel andünsten lassen. Etwas Wasser und die Muscheln hinzufügen und aufkochen. Weißwein hinzugeben. Die Tomaten häuten, fein würfeln und in den Topf geben. Mit Salz und Pfeffer würzen. So viel Wasser hinzugießen, dass die Muscheln knapp bedeckt sind und alles etwa 20 Minuten köcheln lassen. Den Reis hinzufügen und weitere 20 Minuten köcheln lassen. Evtl. etwas Wasser nachgießen, wenn der Reis schon vorher alles aufgesogen hat. In eine Schüssel geben, alle Muscheln, die sich nicht geöffnet haben entfernen. Mit den Kräutern bestreuen und servieren.

Oktopus mit Nudeln - Chtapódi me Makaronáki Koftó

1 kg Oktopus, küchenfertig

250 ml Olivenöl

2 Zwiebeln

50 ml passierte Tomaten (aus der Dose)

200 ml Rotwein, trocken

500 g Nudeln

Salz und Pfeffer

Den Oktopus waschen und in Stücke teilen. Einen Topf mit etwas Wasser füllen, den Oktopus hineingeben und das Wasser bei mittlerer Hitze verdampfen lassen.

Olivenöl in den Topf geben, die Zwiebeln klein hacken, hinzufügen und andünsten lassen. Die passierten Tomaten hinzufügen, aufkochen und mit dem Rotwein ablöschen. Mit Salz und Pfeffer würzen. Kurz bevor der Oktopus gar ist, etwas Wasser auffüllen und die Nudeln hinzufügen. Bei mittlerer Hitze garen lassen, bis die Nudeln bissfest sind.

Griechische Weihnachten

In Griechenland bringen am 24. Dezember weder das Christkind noch der Weihnachtsmann Geschenke, sondern traditionell erst in der Silvesternacht der Hl. Vassilios, der in Deutschland als Hl. Basilius bekannt ist. Er ist auch der Namensgeber für die Vasilopita, das Gebäck, das in der Neujahresnacht für die Griechen eine wichtige Rolle spielt. Vasilopita heißt übersetzt: Vasiliosbrot.

Dieser Brauch ist während der Amtszeit des Hl. Vassilios entstanden. Ein Bischof, der, obwohl er selbst aus einer reichen Familie stammte, sich immer für die Armen und Benachteiligten eingesetzt hat und vorbildlich gelebt haben soll.

So soll eine immense Steuererhöhung des römischen Präfekten der Provinz Kappadokien den amtierenden Bischof Vassilios dazu bewogen haben, den wohlhabenden Bürgern der Stadt ins Gewissen zu reden, den Anteil der ärmeren Bürger zu übernehmen. Die Rede des Bischofs muss so überzeugend und ergreifend gewesen sein, dass die wohlhabende Bevölkerung dem Aufruf nachkam und überdies eine üppige Spende aufbrachte. Dies soll den römischen Präfekten derart beschämt haben, dass er den Armen die Steuer erließ. Die übrig gebliebenen Goldmünzen ließ der Bischof in Brote einbacken und unter den Armen verteilen.

Zum Gedenken an den Hl. Vassilios wird jedes Jahr an seinem Namenstag eine Goldmünze in einem Gebäck, der Vasilopita, versteckt. Diese Münze soll demjenigen Glück bringen, der sie beim Aufschneiden des Kuchens in seinem Stück findet.

In allen griechischen Familien, die ich kenne, wird dieser Brauch bis heute gepflegt. Auch in Vereinen, den griechischen Gemeinden und den Deutsch-Griechischen Gesellschaften wird beim ersten Treffen im neuen Jahr eine Vasilopita angeschnitten und verteilt. So hat man durchaus mehrere Chancen, der glückliche Finder zu sein. Und wenn es in einem Jahr nicht geklappt hat, dann vielleicht im nächsten.

Nachspeisen - Gebäck - Süßspeisen Kaffeespezialitäten - Likör

Nach dem Essen ist es traditionell üblich, saisonales Obst als Nachspeise zu reichen. Im Sommer gibt es kaum etwas Erfrischenderes als Wassermelone (Karpúsi). Die gut gekühlte Melone wird geviertelt, jedes Viertel in ca. 1 – 2 cm dicke Scheiben geschnitten, auf einer Platte dekoriert und serviert.

Süße Nachspeisen sind nicht so üblich, sie werden erst später zum Kaffee gereicht. Die meisten Backwaren sind - wie die türkischen auch - sehr süß und häufig mit Honig oder Sirup getränkt, wie z.B. Baklavás (μπακλαβάς) und Galaktobúrcko (γαλακτομπούρεκο), eine Art Grieß-Auflauf. Lukumádes (λουκουμάδες) sind in Öl ausgebackene kleine Krapfen mit Honigsirup.

Chalwás (χαλβάς) ist eine süße Spezialität aus Sesam, die bei uns noch nicht so bekannt ist, obwohl sie äußerst gesund und nahrhaft ist. Außer Fettanteilen enthält Chalwás Kalzium, Eisen, Proteine und Vitamine und ist in der 40-tägigen Fastenzeit der Griechen nicht verboten zu essen. Chalwás besteht zur Hälfte aus gerösteten gemahlenen Sesamsamen und einer Zucker- oder Honigmischung, die auch durch Fruchtzucker ersetzt werden kann und daher für Diabetiker geeignet ist. Durch Zutaten wie Kakao, Zimt, Erdnüsse, Mandeln, Süßholz oder Rosenöl entstehen verschiedene Geschmacksrichtungen. Chalwás bekommt man bei uns in türkischen und griechischen Geschäften. Mit frischem Obst lässt sich daraus im Handumdrehen eine köstliche und gesunde Nachspeise kreieren.

Bei den Griechen sind auch kandierte Früchte sehr beliebt, z.B. kandierte Bitterorangen, Kirschen, Quitten oder Trauben. Für unseren Geschmack sind sie oft zu klebrig und süß; die Kalorien sollte man sowieso lieber nicht zählen.

Ein kulinarischer Hochgenuss, auch für unsere Gaumen, ist hingegen der „Griechische Joghurt", ein Sahnejoghurt, der mit Walnüssen und Honig vermischt auch als Dessert gereicht wird.

Bei uns in der Kühltheke finden wir inzwischen verschiedene Joghurtsorten, die sich „Griechischer Joghurt" nennen, meist mit 10% Fettgehalt, daher der ausgesprochen gute Geschmack. Einfach nicht an Kalorien denken, man muss ihn probieren!

Das Angebot, das man in griechischen Bäckereien und Konditoreien in größeren Städten findet, ist mit dem bei uns kaum zu vergleichen. Es gibt eine unfassbar große Auswahl an Gebäck, Schokoladen und Kuchen.

In der griechischen Küche werden Kuchen und Gebäck entsprechend der Region unterschiedlich zubereitet. So findet man traditionelle Kuchen, die nur zu bestimmten Jahreszeiten und Festen gereicht werden.

Beliebt sind bei uns inzwischen auch die griechischen Osterkuchen mit dem typischen rotgefärbten Ei.

Griechischer Grießpudding - Chalvás

2 - 3 EL Olivenöl

1 Tasse grober Grieß

3 EL Pinienkerne

3 EL Mandeln, geschält und in dünne Stifte geschnitten

3 EL Rosinen (nach Wahl auch kleingeschnittene getrocknete Früchte)

1 - 2 Tassen Zucker

2 Zimt-Stangen oder Zimtpulver

2 Tassen kochendes Wasser

Zimtpulver zum Bestäuben

Das Olivenöl in einer Pfanne erwärmen und den Grieß hinzufügen. Bei schwacher Hitze unter Rühren garen lassen, bis der Grieß eine goldgelbe Farbe annimmt. Pinienkerne, Mandeln und Rosinen (oder auch getrocknete Früchte) hinzugeben und zu einem leicht bräunlichen Teig vermischen. Zucker, Zimt und Wasser hinzufügen und den Teig unter ständigem Rühren zum Kochen bringen. Sobald der Grieß das Wasser aufgenommen hat, vom Herd nehmen und mit einen Tuch abgedeckt etwa 15 Minuten ruhen lassen. Die Grieß-Masse in eine Kuchenform oder mehrere kleine Schalen geben, abkühlen lassen, umstürzen und mit Zimt bestäuben.

Osterkuchen - Tsourékia paskalína

Für drei Zöpfe:

3 weiße Eier zum Färben

1 kg Mehl

1 Päckchen frische Hefe

3 Eier + 1 Eigelb

150 g Margarine (oder Butter)

200 g Zucker

200 ml Milch

1 TL geriebene Zitronenschale (unbehandelt)

Prise Salz

1 EL gemahlenes Machlepi-Gewürz (alternativ Anisgewürz)

100 g gehobelte und gehackte Mandelhälften zum Garnieren.

Zuerst werden 3 weiße Eier in tiefroter Eierfarbe nach Anweisung kalt gefärbt.

Die Milch lau erwärmen und die Hefe hineinbröseln. 2-3 EL von dem Weizenmehl hinzugeben, gut verrühren und an einem warmen Ort ca. 30 Minuten gehen lassen.

Margarine langsam schmelzen lassen.

Den Backofen auf 160°C (Umluft) vorheizen.

Mehl, 3 Eier, Zucker und die Gewürze in einer Schüssel vermischen.

Die erwärmte Margarine und den Vorteig hinzugeben und gut durchkneten.

Den Teig zudecken und an einem warmen Ort etwa 30 Minuten gehen lassen.

Den Teig in 3 etwa gleichgroße Teile teilen und jeweils zu einer länglichen Wurst formen, in der Mitte halb umbiegen und die beiden Enden zopfähnlich umeinander drehen.

In die Rundung je eins der gefärbten Eier drücken. Abgedeckt an einem warmen Ort erneut 30 – 60 Minuten gehen lassen, bis sich das Volumen in etwa verdoppelt hat.

Das Eigelb mit etwas Milch verquirlen und die 3 Zöpfe damit gleichmäßig bestreichen und mit den Mandeln bestreuen.

Bei 160 °C ca. 35 – 40 Minuten goldbraun werden lassen.

In manchen Regionen formt man Teighasen oder Kränze. Auf den Inseln der Sporaden (Alonissos, Skiathos, Skopelos, Skyros, Euböa) formt man die Tsurekia meist rund und setzt das rote Ei in die Mitte.

Neujahrskuchen - Vassilópita

Ein Rezept von Evdoxia aus meinem Kurs für griechische Tänze

1 kg Mehl und ½ TL Salz (untermischen)

1 ½ Pck. frische Hefe

150 g Butter

220 g Zucker

2 EL geriebene Orangenschale (unbehandelt)

2 EL geriebene Zitronenschale (unbehandelt)

1 Päckchen Machlepi (alternativ Anisgewürz)

1 Tasse Milch

Butter

6 Eier und 1 zusätzliches Eigelb

100 gehobelte Mandeln

Die Hefe in 8 EL lauwarmem Wasser auflösen, etwas Mehl beifügen und rühren, bis eine dünnflüssige homogene Mischung entsteht. Zudecken und warmstellen, bis der Teig aufgegangen ist (ca. 30 Minuten).

In einer großen Schüssel Zucker, Gewürze und die heiße Milch mit dem Holzlöffel mischen, Eier hinzufügen, die Hefemischung untermischen und mit den Händen verkneten.

In drei Etappen das Mehl hinzufügen, mit den Händen

verkneten. Mehrmals lauwarme Butter auf den Teig geben und diesen immer wieder übereinanderschichten (nicht kneten), bis der Teig glatt wird und nicht mehr klebt.

Den Teig warmstellen und nochmal aufgehen lassen, bis er sich verdoppelt hat. Eine runde Form (30 bis 32 cm Durchmesser) mit Backpapier auslegen und den Teig hineingeben. Nicht vergessen, **das Geldstück in den Teig hineinzustecken**.

Nochmals ca. 20 Minuten aufgehen lassen, mit dem geschlagenen Eigelb bestreichen und mit den gehobelten Mandeln bestreuen. Im Backofen auf der mittleren Schiene bei 160 Grad etwa 40 Minuten backen lassen.

Der Kuchen wird üblicherweise Neujahr im Kreise der Familie aufgeschnitten und verteilt. Für die Verteilung der Stücke gibt es eine traditionelle Reihenfolge:

Früher war das erste Stück für Jesus-Christus, das zweite für Mutter-Maria, das dritte für den heiligen Vassilios, das vierte für das Haus, das nächste für den Vater bzw. das Familienoberhaupt und so weiter. Heute ist häufig das erste Stück für das älteste Familienmitglied und dann geht es dem Alter entsprechend weiter. Nach den Kindern sind eventuell anwesende Gäste an der Reihe. Auf diese Art wird der ganze Kuchen geschnitten und verteilt, sodass kein Stück übrigbleibt. Wer die eingebackene Münze in seinem Stück findet, hat das ganze Jahr über besonders viel Glück. Die Münze wird dann in ein Glas mit Rotwein gelegt und jeder in der Runde sagt einen guten Wunsch, nippt an dem Glas und reicht es an seinen Tischnachbarn weiter.

Typisch griechische Weihnachtsplätzchen sind Kourabiédes und Melomakaróna

Mandelgebäck - Kourabiédes

250 g weiche Butter

100 g Zucker oder Puderzucker

2 Eigelb

½ TL Natron

1 EL Ouzo oder Metaxa oder ein anderer Cognac

400 g Mehl

½ Pk Backpulver

125 g gehackte Mandeln

400 g Puderzucker

Butter und Zucker mit dem Mixer cremig aufschlagen. Die Eigelbe, Natron und Cognac hinzufügen und gut verrühren. Mehl und Backpulver mischen und von Hand nach und nach unterkneten. Der Teig darf nicht zu weich sein, soll aber auch nicht zäh werden. Zum Schluss die gehackten Mandeln unterkneten. Den Teig 1 Stunde zugedeckt an einem warmen Ort ruhen lassen. Den Backofen auf 180 Grad vorheizen und ein Backblech mit Backpapier auslegen. Den Teig dick ausrollen und etwa 10 mm dicke Plätzchen ausstechen oder nicht zu groß von Hand formen. Die Plätzchen etwa 15 – 20 Minuten backen, abkühlen lassen und dick mit Puderzucker bestäuben.

Honiggebäck - Melomakaróna

200 ml Maisöl (geht auch mit Olivenöl)

70 g weiche Butter

125 g Zucker

1 Tasse Orangensaft

1 TL Natron

1 EL geriebene Orangenschale (unbehandelt)

1 TL Zimt

½ Tasse geriebene Walnüsse

½ TL ger. Muskatnuss oder ½ TL Nelkenpulver

1 Pck. Vanillezucker

400 g Mehl

1 Pck. Backpulver

250 g gehackte Walnüsse, nach Belieben auch Sesam

Für den Sirup:

2 Tassen Wasser

1 Tasse Zucker

1 Tasse Honig

1 Zimtstange

2 Scheiben Zitrone

Öl, Butter und Zucker in eine große Schüssel geben und mit dem Mixer cremig rühren. Das Natron in dem Orangensaft auflösen und alle Zutaten bis auf Mehl, Backpulver und Nüsse hinzufügen und gut verrühren. Mehl und Backpulver vermischen und von Hand nach und nach unterkneten.

Den Backofen auf 160 Grad vorheizen und das Backblech mit Backpapier auslegen.

Nun kleine Teigstücke in runder oder ovaler Form kneten und mit Abstand auf das Backblech legen, da sich die Plätzchen stark vergrößern. Etwa 30 Minuten backen lassen, bis das Gebäck eine goldbraune Farbe bekommt. Blech herausnehmen und Plätzchen erkalten lassen.

In der Zwischenzeit das Wasser für den Sirup in einen Topf geben, Zucker, Honig, Zimtstange und Zitronenscheiben hinzugeben und alles etwa 10 Minuten köcheln lassen. Zimtstange und Zitrone herausnehmen und den Sirup noch heiß über die Plätzchen geben. Anschließend die gehackten Walnüsse (und nach Geschmack auch Sesam und Zimt) über das Gebäck streuen.

Griechische Muffins mit Bergtee - Glíkisma me Tsái tou Vounoú

100 g Margarine

50 g Zucker

2 Eier

250 g Mehl

1 Pck. Backpulver

6 EL Milch

40 g Walnüsse fein gehackt

40 g Mandeln gemahlen

100 g dunkle Schokolade

20 g griechischer Bergtee (gemahlen)

Margarine und Zucker schaumig rühren und ein Ei nach dem anderen unterrühren. Mehl mit Backpulver mischen und hinzufügen. Die feingehackten Nüsse und die gemahlenen Mandeln mischen und ebenfalls hinzufügen. Die Schokolade fein hacken, hinzufügen und alles zusammen mit der Milch zu einem cremigen Teig verrühren. Zum Schluss den gemahlenen Bergtee unterheben. Den Teig in Muffin-Förmchen füllen und bei 180° im vorgeheizten Backofen ca. 20-25 Minuten backen.

Griechischer Bergtee - Tsái tou Vounoú

Die Griechen schwören auf ihren Bergtee, der bei ihnen als eine Art Allheilmittel gilt. Bergtee ist in Griechenland fast überall erhältlich. Die Blütenstängel werden üblicherweise von Hand gepflückt, getrocknet und in Handarbeit weiterverarbeitet. Man findet sie in Klarsichtfolie abgepackt auf Märkten, im Supermarkt oder an Ständen am Straßenrand.

Das aromatische Teearoma entfaltet sich nach etwa 4 Minuten Ziehzeit in gekochtem Wasser und wird gerne mit Honig oder etwas Zitrone getrunken.

Bergtee ist beliebt für seine lindernde Wirkung bei Erkältungssymptomen wie Halsschmerzen und Husten.

Honigkrapfen - Loukoumádes

42 g frische Hefe

1 kg Mehl

1 TL Zucker

Wasser

Öl zum Ausbacken

Honig

Zimt und Zucker

Etwa 250 g Mehl in eine Schüssel geben, die Hefe hineinbröseln und den Zucker dazugeben. Mit etwas Wasser zu einem glatten Teig kneten. Zudecken und an einem warmen Ort ruhen und gehen lassen. Den Vorteig mit dem restlichen Mehl und etwas Wasser zu einem geschmeidigen Teig verarbeiten. Wieder abdecken und erneut mindestens 90 Minuten gehen lassen. Reichlich Öl in einem Topf erhitzen und von der Teigkugel mit einem Teelöffel kleine Teile abnehmen und zu Kugeln kneten. In das siedende Öl geben und ausbacken, bis sie goldbraun sind. Auf einer Kuchenplatte anrichten und nach Belieben mit Honig beträufeln. (Die Griechen nehmen lieber etwas mehr!) Zucker und Zimt vermischen und darüber streuen.

Orangengebäck - Glíkisma me Portokália

½ Tasse Öl

200 g Zucker

2 Eier

½ Tasse Orangensaft

½ TL Natron

500 g Mehl

1 TL Backpulver

1 verquirltes Ei

Öl und Zucker in eine Schüssel geben und mit dem Mixer verrühren, bis sich der Zucker aufgelöst hat. Dann die beiden Eier untermixen.

Das Natron in Orangensaft auflösen und hinzugeben. Mehl und Backpulver mischen und nach und nach unterrühren. Wird der Teig fest, kneten wir ihn von Hand weiter.

Den Backofen auf 160 Grad vorheizen. Den Teig zu kleinen Schleifen oder Zöpfen formen und auf ein mit Backpapier ausgelegtes Blech legen. Zum Schluss werden die Teigstücke mit dem verquirlten Ei bestrichen. Wer mag, kann sie mit Sesam bestreuen.

Im Backofen etwa 20 Minuten backen, bis das Gebäck eine goldbraune Farbe annimmt.

Aniskringel - Koulourákia me Àniso

100 g Zucker

150 g Mehl

180 g Vollkornmehl

2 TL Backpulver

100 g weiche Margarine

1 Prise Salz

2 TL Anispulver

45 ml Wasser

45 ml Ouzo

60 ml Olivenöl

80 g Sesam

Zucker, Mehl und Backpulver in einer Schüssel vermischen, die übrigen Zutaten - außer dem Sesam - hinzufügen und mit dem Mixer einen glatten Teig rühren. Ein Backblech mit Backpapier auslegen und länglich gerollte Teigstücke zu Kringeln formen. Nach Belieben in Sesam wälzen und auf ein mit Backpapier ausgelegtes Backblech geben. Im vorgeheizten Ofen auf der mittleren Schiene bei ca 180 Grad etwa 20 Minuten backen lassen.

Zimtringe - Kulurákia me Kanéla

250 g Mehl

1 TL Backpulver

1 TL Zimt

1 Prise gemahlene Nelken

1 Prise geriebene Muskatnuss

100 g Zucker

125 ml Olivenöl

2 TL Metaxa oder Cognac

20 ml Mineralwasser

30 ml Orangensaft

1 TL geriebene Orangenschale

Korinthen/ Rosinen

Mehl und Backpulver in eine Schüssel geben und mit Zimt, Nelkenpulver, Muskatnuss vermischen. Zucker, Öl, Metaxa, Wasser, Saft und Orangenschale in eine zweite Schüssel geben und mit dem Mixer verrühren. Beide Mischungen zusammengeben und zu einem glatten Teig rühren. Nun etwa daumendicke Röllchen formen und die Enden verkneten. Die Ringe auf ein mit Backpapier ausgelegtes Backblech geben und jeden Ring mit zwei Korinthen verzieren. Im vorgeheizten Backofen bei 160 Grad (Umluft) ca. 20 Minuten backen.

Und noch ein herzhaftes Kuluri-Rezept von einem Kuluras auf dem Aristoteles Platz - Platia Aristotelus - in Thessaloniki. Dort, wie in vielen Städten, sieht man Männer mit karrenartigen Verkaufsständen, auf denen nichts anders aufgetürmt ist als diese wohlschmeckenden Sesamringe. Man kann eigentlich nicht daran vorbeigehen, ohne einige zu kaufen.

Sesamringe - Kulúria

20 g frische Hefe

Wasser

500 g Mehl

1 TL Salz

50 g Zucker

30 ml Sonnenblumenöl

200 g Sesam

Die Hefe halbieren und eine Hälfte mit ca. 100 ml warmem Wasser verrühren und über Nacht ruhen lassen – besser noch 24 Stunden. Die restliche Hefe ebenfalls in ca. 100 ml warmem Wasser auflösen, 3 EL Mehl dazugeben, verrühren und 30 Minuten ruhen lassen. Etwa ¾ des Mehls in eine Schüssel geben, mit dem Salz vermischen und in die Mitte eine Mulde drücken. Dort hinein gibt man Zucker, Öl und die beiden Hefeansätze.

Nun wird alles gründlich verknetet und dann mit einem Tuch abgedeckt. An einem warmen Ort so lange gehen lassen, bis sich das Volumen verdoppelt hat. Anschließend noch einmal gründlich durchkneten. Dann werden fingerdicke, etwa 30 cm lange Teigwürste gerollt. Diese werden kurz in Wasser getaucht und in Sesam gewälzt, bevor man sie auf ein mit Backpapier ausgelegtes Blech legt und die Enden gut miteinander verknetet. Das Backblech in den vorgeheizten Ofen schieben und bei 200 Grad (Umluft) etwa 15 bis 20 Minuten goldbraun backen.

Mandeln in Schokolade - Vrachákia

500 g Bitterschokolade bzw. Kuvertüre

400 g Mandeln

Die Kuvertüre im Wasserbad schmelzen oder in einem speziellen Schmelztiegel. Man kann sich aber auch mit einer kleinen Plastikschüssel behelfen und diese in einen Topf mit kochendem Wasser stellen. Darauf achten, dass das Wasser nicht mit der schmelzenden Schokolade vermischt.

Die gehäuteten Mandeln ohne Fett in eine Pfanne geben und kurz rösten lassen. Anschießend die Mandel in der geschmolzenen Schokolade verrühren. Mit einem Löffel jeweils linienförmig etwas von der Mischung auf ein mit Backpapier ausgelegtes Backblech geben. Mehrere Stunden an einem kühlen Ort trocknen lassen. Wenn die Vrachakia hart geworden sind, in Alufolie oder bunte Folie einwickeln.

Nuss-Sirup-Röllchen - Kantaífi

Diese Süßspeise aus feinen Teigfäden (Kataífiteig) mit Nüssen und Honigsirup ist in Griechenland und der Türkei sehr beliebt.

1 kg Filoteig oder Kantaífiteig (in türkischen Läden)

500 g grob gehackte Walnusskerne

150 g geröstete und gehackte Mandeln

3 EL Zucker

3 TL Paniermehl

3 TL Zimt

1 TL Nelkenpulver

200 g Butter

200 g Margarine

Für den Sirup:

5 Tassen Wasser

5 Tassen Zucker

2 EL Honig

½ Zitrone

1 Zimtstange

Als erstes die Walnusskerne grob hacken, dann die Mandeln in einer Pfanne kurz rösten - ohne Fettzugabe - und anschließend grob hacken.

Walnüsse, Mandeln, Zucker, Paniermehl, Zimt und Nelkenpulver sorgfältig vermischen.

Butter und Margarine in einen Topf geben und schmelzen zerlassen.

Alle Zutaten für den Sirup zusammen in einen Topf geben, kurz aufkochen ca. 10 Minuten köcheln lassen und dann zum Abkühlen vom Herd nehmen.

Den Backofen auf 170 Grad vorheizen.

Den Kantaífiteig (feine Teigfäden) vorsichtig auseinandernehmen. Die Teigfäden kreisförmig zu einem kleinen Nest formen und mit der Nussmischung füllen. Oder Sie legen die Teigfäden der Länge nach ganz dicht einander und schneiden dann jeweils ca. 20 cm lange Streifen ab. Auf das eine Ende etwa 1 EL der Nussmischung geben und aufrollen. Diese Nester in eine gefettete Auflaufform setzen und mit etwas Wasser beträufeln. Die Auflaufform in den Ofen schieben und ca. 30 – 40 Minuten goldbraun backen. Zwischendurch kontrollieren, denn die Teigfäden können schnell anbrennen.

Die Auflaufform aus dem Backofen nehmen und mit dem abgekühlten Sirup übergießen.

Zusammen mit einem griechischen Kaffee (Kafedáki) servieren.

In Griechenland werden viele herzhafte Gerichte, wie z.B. Pita mit verschiedenen Füllungen und auch süße Kuchen, wie zB. Bougátsa, mit Filoteig zubereitet. Diesen Teig kann man hier in türkischen oder griechischen Lebensmittelläden fertig bekommen. Wer aber Zeit, Geschick und Geduld hat, kann ihn auch selbst zubereiten.

Filoteig ist zwar ähnlich wie der Blätterteig, den wir kennen, doch sind die „Blätter" dünner und stabiler, etwa wie bei Strudelteig. Unser Blätterteig soll kalt verarbeitet werden, was in Griechenland nicht zu jeder Jahreszeit so einfach ist. Um die Blätter des Filoteiges so gleichmäßig und dünn zu bekommen, wird ein dünnes etwa 50 cm langes Rundholz aus Obstbaumholz verwendet. Ein Nudelholz wie wir es kennen, ist dafür untauglich.

Blätterteig-Grießkuchen - Bougátsa

1 l Milch

3 EL geriebene Schale einer unbehandelten Zitrone

1 Vanilleschote

4 Eier

200 g Zucker

600 g Blätterteig (Filoteig in türkischen Läden erhältlich)

50 g weiche Butter

1 TL Zimt

50 g Puderzucker

1 Prise Salz

200 g Weizengrieß

Ein Backblech mit Backpapier auslegen und die Hälfte des Blätterteiges darauf geben.

Für die Füllung wird die Vanilleschote halbiert und das Mark herausgekratzt. Die Milch in einen Topf geben, Salz, Vanillemark, Zucker und Zitronenschale hinzufügen und zum Kochen bringen. Den Grieß einrühren und quellen lassen. Topf vom Herd nehmen und abkühlen lassen. Nun die verquirlten Eier unter den Grießbrei heben. Bei geringer Hitze vorsichtig rühren, bis die Eier stocken. Den Grießbrei kalt stellen, und hin und wieder umrühren, damit keine Haut entsteht.

Anschließend die Grießfüllung gleichmäßig auf dem Blätterteig verteilen und den übrigen Blätterteig auf die Füllung legen. Mit einem Messer vorsichtig kleine Rechtecke einritzen und den Teig mit der weichen Butter einpinseln.

Das Backblech im vorgeheizten Ofen bei 180 Grad (Umluft) ca. 30 Minuten backen, bis der Blätterteig eine goldgelbe Farbe angenommen hat.

Das Gebäck aus dem Ofen nehmen, mit Zimt und Puderzucker bestreuen und warm servieren.

Fílo-Teig - Sími Sfoliátas

wie ihn geschickte Griechinnen selbst anfertigen

500 g Mehl

25 ml Weißweinessig

50 ml natives Olivenöl

1 TL Salz

300 ml Wasser

Maismehl

Alle Zutaten werden in eine Schüssel gegeben und so lange verknetet, bis der Teig elastisch ist. Die Schüssel abgedeckt 60 Minuten in den Kühlschrank stellen. Dann wird der Teig in sechs gleich große Kugeln geformt. Die Arbeitsfläche mit Maismehl bestäuben und die erste Kugel dünn ausrollen. Dazu das auf Seite 197 erwähnte Rundholz verwenden. Den ausgewalzten Teig um 90 Grad drehen, mit Maismehl bestäuben und ihn auf das Rundholz aufrollen. Beim Abrollen den Teig vorsichtig von der Mitte nach außen drücken. Das Teigstück wieder um 90 Grad drehen und den Vorgang so lange wiederholen, bis das Teigstück die gewünschte Größe hat. Diesen Vorgang mit den anderen Teigstücken wiederholen. Und nicht verzweifeln, es ist eine Sache der Übung, bis der Teig gelingt.

Je nach Rezept werden ein oder zwei Teigblätter in die Form oder das Blech gelegt und mit Butter oder Öl bestrichen.

Dann wird die süße oder herzhafte Füllung hineingegeben. Die restlichen Teigblätter werden als Decke aufgelegt, und dann müssen die überstehenden Teigränder gut miteinander verknetet werden.

Apfelkuchen griechische Art - Milópita

½ Tasse Öl (oder 150 g weiche Margarine)

1 ½ Tassen Zucker

4 Eier

2 ½ Tassen Mehl

3 TL. Backpulver

1 Päck. Vanillezucker

3-4 Äpfel kleingewürfelt

0,2 cl Metaxa oder Cognac

1 Tasse Walnüsse oder Mandeln

Puderzucker

Öl bzw. Margarine und den Zucker in eine Schüssel geben und mit dem Handmixer verrühren.

Die Eier trennen und das Eiweiß mit dem Vanillezucker zu steifem Schnee schlagen. Die Eidotter mit der Zucker-Fettmischung verrühren und den Eischnee unterheben.

Die Äpfel kleinschneiden und mit Metaxa oder Cognac beträufeln, die zerkleinerten Nüsse (oder Mandeln) dazugeben und beides in die Mischung verrühren. Nun das Mehl mit dem Backpulver mischen und nach und nach unterrühren. Eine Backform fetten, mit Mehl bestäuben und die Teigmischung hinein geben. Der Kuchen muss bei 160 Grad etwa 1 Sunde auf der mittleren Schiene backen. Mit einem Holzstäbchen prüfen, ob er fest ist, aus dem Ofen nehmen und abkühlen lassen. Vor dem Servieren mit Puderzucker bestreuen.

Orangenkuchen - Portokalópita

ein Rezept von Koula Pani

1 Packung fertigen Blätterteig (Filoteig)

1 Becher Joghurt (200g)

1 Tasse Sonnenblumenöl

1 Tasse Zucker

1 Pck. Vanillezucker

1 Pck. Backpulver

Geriebene Schale von 1 Orange (unbehandelt)

Etwas Butter

Für den Sirup:

2 Gläser Wasser

1 Glas Orangensaft (gepresst)

2 Gläser Zucker

1 Zimtstange

Schale von einer Orange

Joghurt, Öl, Zucker, Vanillezucker, Backpulver und die geriebene Orangenschale in eine Schüssel geben und gut vermengen. Zwei Blätter des Filoteiges auseinanderfalten und auf ein Backblech legen. Einen Teil der Füllung darauf verteilen und einziehen lassen. Zwei weitere Teigblätter darauf legen und wieder mit Füllung bestreichen. So lange wiederholen, bis Teig und Füllung aufgebraucht sind. Die letzten beiden Blätter auflegen und diese mit Butter bestreichen.

In den vorgeheizten Backofen geben und bei 180 Grad etwa 35 Minuten backen lassen.

In der Zwischenzeit den Sirup zubereiten.

Hierfür alle Zutaten miteinander vermischen und aufkochen lassen.

Wenn der Kuchen abgekühlt ist, wird der Sirup darübergegeben.

Joghurtkuchen - Tárta me Jaoúrti

150 g weiche Butter (oder Margarine)

1 ½ Tassen Zucker

5 Eier

100 g griechischer Joghurt

3 Tassen Mehl

3 TL Backpulver

1 EL geriebene Zitronenschale (unbehandelt)

Butter und Zucker in eine Schüssel geben und mit dem Mixer schaumig rühren.

Die Eier trennen. Eidotter nach und nach in die Mischung rühren. Den Joghurt hinzufügen und verrühren. Mehl, Backpulver und geriebene Zitronenschale mischen und ebenfalls unterrühren. Nun das Eiweiß zu steifem Schnee schlagen und unterziehen.

Eine Backform fetten, mit Mehl bestäuben und die Teigmischung hineingeben. Der Kuchen muss bei 160 Grad etwa 1 Sunde auf der mittleren Schiene backen. Mit einem Holzstäbchen prüfen, ob er fest ist, aus dem Ofen nehmen und abkühlen lassen.

Blätterteig-Joghurtkuchen mit Sirup - Patsavourópita

wie meine Freundin Angeliki sie macht

3 Eier

250 g griechischer Joghurt

1 TL Backpulver

1 Tasse Zucker

1 Tasse Sonnenblumenöl

3 Pck. Vanillezucker

500 g Blätterteig (hauchdünn z.B. von Kanakis)

Für den Sirup:

2 ½ Tassen Zucker

3 Tassen Wasser

Saft einer halben Zitrone

Alle Zutaten in eine Schüssel geben und vermischen.

Eine Auflaufform (ca. 35 x 20 cm) einfetten. Die Blätterteigplatten einzeln in die Form legen und leicht andrücken. Alle Blätter verwenden und die Füllung darüber verteilen, dabei darauf achten, dass die Füllung zwischen die Blätter läuft.

Im Backofen bei 180 Grad etwa 45 – 60 Minuten backen. Evtl. zum Ende hin mit Alufolie abdecken. Wenn der Kuchen fertig ist, abkühlen lassen und in Rautenform schneiden.

Für den Sirup den Zucker im Wasser auflösen, den Zitronensaft hinzugeben und ca. 15 Minuten köcheln lassen. Anschließend den Sirup über den Kuchen geben und 3 Stunden einziehen lassen (Oder besser noch über Nacht stehen lassen.)

Sirupkuchen - Ravaní me Karítha

1 Tasse Öl (oder 150 g weiche Margarine)

1 ½ Tassen Zucker

1 Tasse Milch

3 Eier

1 ½ Tassen Kokosflocken

1 ½ Tassen Mehl

2 TL Backpulver

Für den Sirup

1 ½ Tassen Zucker

1 ½ Tassen Wasser

1 TL Zitronensaft

Butter und Zucker in eine Schüssel geben und mit dem Mixer schaumig rühren.

Die Eier einzeln unterrühren. Milch und Kokosflocken hinzugeben und verrühren. Mehl mit dem Backpulver mischen und ebenfalls unterrühren.

Eine Backform fetten, mit Mehl bestäuben und die Teigmischung hinein geben.

Oder ein Backblech mit Backpapier auslegen und den Teig darauf verteilen. Der Kuchen muss bei 160 Grad etwa 1 Stunde auf der mittleren Schiene backen.

Inzwischen für den Sirup Wasser und Zucker in einen Topf geben, Zitronensaft hinzufügen und 5 Minuten köcheln lassen. Sobald der Kuchen fertig ist, (mit einem Holzstäbchen prüfen, ob der Teig fest ist) aus dem Ofen holen, vorsichtig aus der Form lösen und mit dem Sirup übergießen.

Zu diesen Leckereien gehört natürlich ein Tässchen

Griechischer Kaffee - Ellinikóus

und den macht man so:

Wasser

Griechischer Pulverkaffee

ggfs. Zucker

In ein Bríki (typisch griechisches Mokka- Kännchen aus Metall) eine Espressotasse voll Wasser gießen. Für zwei Portionen nimmt man entsprechend die doppelte Menge.

Je Portion etwa einen Teelöffel Kaffee und je nach Geschmack Zucker hinzufügen.

Die Griechen unterscheiden: ohne Zucker - skétos, etwa 1 TL Zucker, also mittelsüß - métrios, mehr als 1 TL Zucker, also süß – glykós.

Auf dem Gazáki bzw. Gasbrenner (Camingzubehör) oder auf der Herdplatte köcheln lassen, und langsam rühren, bis sich das Kaffeepulver gut aufgelöst hat. Den Kaffee kurz ruhen lassen und warten, bis er aufschäumt. Wenn der Schaum bis zum Kannenrand hochsteigt, das Kännchen kurz von der Flamme bzw. Herdplatte wegnehmen. Dann wieder auf Flamme oder Herdplatte stellen und wenn der Kaffee erneut aufsteigt, wegnehmen und in die Espresso- oder Mokkatasse einschütten.

Vor dem Trinken darf der Kaffee nicht mehr umgerührt werden, weil der Kaffeesatz ja am Boden bleiben soll!

Nach dem Genuss wird die Untertasse mit der Wölbung nach unten auf die Tassenöffnung gestellt. Die Tasse umdrehen, sodass sich der Kaffeesatz auf dem Unterteller befindet. Jetzt braucht man nur noch eine kafetzú, jemanden, der aus dem Kaffeesatz lesen kann…

Gut möglich, dass sie dann sagt, dass sie einen Weg oder eine Straße sieht, die sich teilt - man wird also eine Entscheidung treffen müssen. Oder sie sieht einen bestimmten Buchstaben, das könnte eine Person sein, deren Name mit dem Buchstaben beginnt, und die man bald treffen wird. Vielleicht sieht sie aber auch zwei Ringe, und das könnte bedeuten, dass man zu einer Hochzeit eingeladen wird… Diese Prophezeiungen gehen aber nur in Erfüllung, wenn man daran glauben möchte.

Wo wir gerade über Kaffeespezialitäten sprechen, das griechische Nationalgetränk ist eigentlich der Frapé, eine Art Eiskaffee, den die Griechen sich morgens am Kiosk, am Strand oder im Café in einem Papp- oder Plastikbecher mit Deckel und Strohhalm holen und mindestens den halben Tag lang ständig nippend damit herumlaufen. Probieren Sie ihn einmal, Sie möchten nichts anderes mehr trinken!

Griechischer Eiskaffee - Kafés Frapé

1 TL löslicher Kaffee (die Griechen bevorzugen Nescafé classic)

ggfs. Zucker

Eiswürfel

ggfs. frische Sahne oder Milch

Kaffeepulver, ggfs. Zucker und ¼ Glas kaltes Wasser und zwei Eiswürfel in einen Shaker geben und lange gründlich schütteln, damit der Schaum eine feste Konsistenz bekommt. (In Griechenland kann man kleine elektrische Aufschäumer kaufen, ähnlich denen, die man hier für Milchschaum bekommt.) Die Mischung in ein hohes Glas gießen und nach Belieben Eiswürfel hinzufügen. Je nach Geschmack etwas Sahne oder Milch dazu geben. Einen Strohhalm hinein und fertig.

Auch beim Frapé gibt es Unterscheidungen:

sketos – ohne Zucker

métrios – etwas Zucker

glykós – mehr Zucker

chorís gála – ohne Milch

mé gála – mit Milch.

Ich nehme meinen Frapé am liebsten métrios mé gála.

Und wie wäre es mit einem selbstgemachten Likörchen?

Hier ein Rezept für Quittenlikör von meiner Freundin Angeliki, die ganz wunderbare Rezepte hat, um der Quittenschwemme, die sie jährlich heimsucht, Herr bzw. Frau zu werden:

Quittenlikör - Liker apo Kidóni

nach einem Rezept meiner Freundin Angeliki

5 große Quitten

2 Tassen Zucker

1 l Rum (oder Grappa oder Tsipouro)

2 – 3 Zimtstangen

Für den Sirup:

2 Tassen Zucker

½ l Wasser

Die Quitten putzen, die Kerne entfernen und in kleine Stücke schneiden. Alle Zutaten in ein großes Glasgefäß geben. Zwei bis drei Wochen an einen dunklen und kühlen Ort lagern und mehrfach umrühren.

Für den Sirup, den Zucker in Wasser auflösen und zum Kochen bringen. Etwa 2 - 3 Minuten köcheln lassen. Anschließend den Sirup abkühlen lassen.

Die Zimtstangen entnehmen und die Quitten entfernen, indem man die Flüssigkeit durch ein Sieb gibt. Nun den Quittenlikör mit dem kalten Sirup vermischen.

Eine weitere Woche dunkel und kühl lagern.

Nun kann man den Likör kalt genießen.

Je länger der Likör steht, umso aromatischer schmeckt er.

Glossar

Die griechische Sprache ist schwer zu erlernen, da gibt es keine Zweifel. Ich habe bei der Recherche ein griechisch-englisches Wörter- und Lehrbuch gefunden, mit dem Titel: „Griechisch in 25 Jahren". Seitdem habe ich Hoffnung, die Sprache doch noch irgendwann zu beherrschen.

Die griechischen Buchstaben zu lernen, macht übrigens ausgesprochen Spaß, auch wenn sich mir noch nicht erschlossen hat, wofür die Griechen 5 (in Worten: fünf) verschieden „i" brauchen:

η = Ita, ι = Jota , υ = Ipsilon und die Buchstabenkombinationen ει und οι werden ebenfalls „i" gesprochen.

Die Griechen haben aber nicht nur eigene Schriftzeichen, sondern auch eine andere Betonung als wir. Bei uns werden die Worte überwiegend auf den ersten Silben betont, die Griechen, die auch sehr viel längere Worte haben, betonen meist die letzte oder vorletzte Silbe. Aber zu unserer und ihrer eigenen Erleichterung der Aussprache finden sich Akzentzeichen auf den zu betonenden Lauten, z.B. Aristotélos – im Deutschen: Aristóteles gesprochen.

Einige Wörter in der griechischen Sprache werden zwar gleich gesprochen, haben aber mit einer anderen Betonung eine andere Bedeutung:

póli – πόλη = Stadt und polí – πολύ = viel

Hier sieht man auch zwei unterschiedliche „i" am Ende des Wortes, die aber beide wie „i" ausgesprochen werden.

Im Anschluss finden Sie nun einige Wörter, Namen und Begriffe, die mit Essen und Lebensmitteln zu tun haben, auf Deutsch, mit griechischer Aussprache und in griechischer Schrift, damit Sie diese bei Ihrem nächsten Griechenlandaufenthalt wiedererkennen.

Auberginen - Melitzánes - μελιτζάνες

Auberginencreme - Melitzánosaláta - μελιτζάνοσαλάτα

Basilikum - Wassilikós - βασιλικός

Blumenkohl - Kunipidi - κουνουπίδι

Bohnensuppe - Fassoláda - φασολάδα

Brokkoli - Brókola - μπρόκολα

Brot - Psomí - ψωμί

Butter - Wútiro - βούτυρο

Champignons - Manitárja - μανιτάρια

Dill - Anithos - άνηθος

Ei - Awgó - αβγό

Eis - Pagotó - παγωτό

Erbsen - Arakás - αρακάς

Feigen - Síka - σύκα

Fenchel - Máratho - μάραθο

Fisch - Psári - ψάρι

Fischrogencreme - Taramosaláta - ταραμοσαλάτα

Fischsuppe - psarósupa - ψαρόσουπα

Fleisch - Kréas - κρέας

Gans - Chína - χήνα

Garnelen - Garídes - γαρίδες

Gebäck - Wutímata - βουτήματα

Gebratene Auberginen - Melitzsánes tigantés - μελιτζάνες τηγανητές

Gebratene Paprika - Piperiés tigantés - πιπεριές τηγανητές

Gebratene Zucchini - Kolokithkia tigantés - κολοκυθάκια τηγανητά

Geflügel - Pularikά - πουλερικά

Gefüllte Weinblätter - Dolmadákia - ντολμαδάκια

Gefüllte Paprika/Tomaten - Jemisstá - γεμιστά

Gegrillte Maiskolben - Kalambokia psitá - καλαμπόκια ψητά

Gemüse - Lachaniká - λαχανικά

Giros - Gíros - γύιρος

Griechische Fleischklößchensuppe - Jurwarlákia - γιουβαρλάκια

Grüne Bohnen - fassolákja - φασολάκια

Gurke - Angúri - αγγούρι

Hackfleisch - Kimás - κιμάς

Hackfleischauflauf mit Auberginen, Tomaten, Bechamelsoße - Mussakas - μουσακάς

Hackfleischauflauf mit Makkaroni, Tomaten, Bechamelsoße - Pastízio - παστίτσιο

Hackfleischbällchen - Keftédes - κεφτέδες

Hacksteak - Biftéki - μπιφτέκι

Hähnchen - Kotópulo - κοτόπουλο

Hammelfleisch - Arnísjo Kréas - αρνίσιο κρέας

Hase - Lagós - λαγός

Hefezopf (zu Neujahr) - Wassilópita - βασιλόπιτα

Hering - Réga - ρέγκα

Honig - Méli - μέλι

Honigmelone - Pepóni - πεπόνι

Huhn - Kóta - κότα

Joghurt - Jaúrti - γιαούρτι

Käse - Tirí - τυρί

Kaffee - Kafés - καφές

Kalamare - Kalamárakia - καλαμαράκια

Kaninchen - Kunéli - κουνέλι

Kartoffeln - Patátes - πατάτες

Kichererbsen - Revíthja - ρεβίθια

Kichererbsensuppe - Revithóssoupa - ρεβιθόσουπα

Knoblauch - Sskórdo - σκόρδο

Kotelett - Brisóla - μπριζόλα

Krabben - Kavurákia - καβουράκια

Kreuzkümmel - Kímino - κύμινο

Kuchen - Kéik - κέικ

Kürbis - Kolokíthi - κολοκύθι

Lachs - Solomós - σολομός

Lamm/Milchlamm - Arní / Arnáki gálaktos - αρνί / αρνάκι γάλακτος

Lammrippchen - παidákja - παιδάκια

Lauch - Prásso - πράσο

Linsen - Fakés - φακές

Linsensuppe - Fakés - φακές

Lorbeer - Sáfni - δάφνη

Maiskolben - Kalambóki - καλαμπόκι

Mandeln - Amígdala - αμύγδαλα

Margarine - Margaríni - μαργαρίνη

Meerbrasse - Sinagrída - συναγρίδα

Mehl - Aléwri - αλεύρι

Miesmuschel - Mídja - μύδια

Milch - Gála - γάλα

Minze - Siósmoss - δυόσμος

Möhren - Karóta - καρότα

Nudeln - Makarónia - μακαρόνια

Obst - Frúta - φρούτα

Öl - Láthi - λάδι

Oliven - Eljés - ελιές

Okraschoten - Bámjes - μπάμιες

Oktopus - Chtapódi - χταπόδι

Orangen - Portokália - πορτοκάλια

Orangensaft - Chimós Portokaliú - χιμός πορτοκάλιού

Oregano - Rígani - ρίγανη

Paprika - Páprika - πάπρικα

Peperoni - Kafterí Piperá - καυτερή πιπεριά

Petersilie - Maidanós - μαιντανός

Pfeffer - Pipéri - πιπέρι

Pfifferlinge - Kantharéli - κανθαρέλοι

Pfirsiche - Rodákina - ροδάκινα

Pflaumen - Damáskina - δαμάσκηνα

Pommes frites - Patátes tiganités - πατάτες τηγανητές

Petersilie - Maidanóss - μαιντανός

Reis - Rísi - ρύζι

Riesenbohnen - Gigantes - γίγαντες

Rind - mosschári - μοσχάρι

Rosinen - Stafídes - σταφίδες

Safran - Krókos - κρόκος

Salat - Saláta - σαλάτα

Salbei - fasskómilo - φασκόμηλο

Salz - Aláti - Αλάτι

Sardelle - Gávros - γαύρος

Sardinen - Sardélles - σαρδέλες

Schinken - Sambón - ζαμπόν

Schokolade - Sokoláta - σοκολάτα

Schwertfisch - Xifíaß - ξιφίας

Schwein - Chirinó - χοιρινό

Seezunge - Glóssa - γλώσσα

Sellerie - Sélino - σέλινο

Sepia - Supiá - σουπιά

Souvlaki - Souvláki - σουβλάκι

Spargel - Sparángi- σπαράγγι

Spinat - Spanáki - σπανάκι

Spinatpastete - Spinakópita - σπινακόπιτα

Stifado - Stífádo - στιφάδο

Suppe - Súpa - σούπα

Süßigkeiten - Gliká - γλυκά

Tee - Tzái - τσάι

Thunfisch - Tónos - τόνος

Thymian - Ssimári - θυμάρι

Tintenfisch - Chtapódi - χταπόδι

Toast - Psomáki ja Tost - ψωμάκι για τοστ

Tomaten - Domátes - ντομάτες

Walnüsse - Karídia - καρύδια

Wassermelone - Karpúsi - καρπούζι

Wein - Krassí - κρασί

Weintrauben - Stafília - σταφίλια

Weiße Bohnen - fassólja - φασόλια

Weißkohl - láchano - λάχανο

Wild - Kinígi - κυνήγι

Wildkräutersalat - Chórta - χόρτα

Wurst - Lukániko - λουκάνικο

Ziege - Kazíki - κατςίκι

Zitrone - Lemóni - λεμόνι

Zitronensaft - Chimós Lemoniú - χιμός λεμονιύ

Zimt - Kanéla - κανέλα

Zucchini - Kolokithákia - κολοκυθάκια

Zwiebel - Kremísi - κρεμμύδι

Danksagungen

Ich danke Euch allen. Euch, die ihr mich unterstützt habt mit Rezepten, Geschichten und Ermutigungen. Danke Suse und danke Roland, dass ihr immer für mich da seid und meine Kumbaras geworden seid.

Ich danke Jorgos, unserem Tanzlehrer, dass er uns mit so viel Geduld und Enthusiasmus jeden Mittwoch mit: „ena, dio, tria, ena, dio, tria, (eins, zwei, drei) das ist schon alles….“ dutzende traditionelle griechische Tänze beibringt.

Ich danke Dora, seiner Frau, meiner Kumbara, dass sie jede Woche die spontane Idee hat, nach dem Tanzen noch irgendwo lecker essen zu gehen.

Danke Sofia, dass du mir griechische Bräuche und Traditionen erklärt hast, und dir Dimitri, dass du mir Einblick in deine Kindheit in Griechenland gewährt hast.

Danke Angeliki, du warst die Erste, die spontan und ungefragt bei einer griechischen Parea für mich übersetzt hat. Und danke Stefanos, du bist der Einzige, der mir griechische Witze erklären kann.

Danke an Rula für Deine Unterstützung. Wie du dich für die Griechenlandhilfe einsetzt, finde ich bewundernswert. Wir sollten alle viel öfter daran denken, wie gut es uns geht und dass es uns auch guttut, denen zu helfen, die nicht so viel Glück haben wie wir.

Jede Hilfe zählt, deshalb schauen Sie mal hier:
www.Griechenlandhilfe.at

Danke an meine Schreib-Freundin Ingrid, die dafür gesorgt hat, dass dieses Buch veröffentlicht wird.

Efcharistó an meinen Lieblingsgriechen, dass du mich damals angesprochen hast, auch wenn du gerne behauptest, es sei anders gewesen. Du hast mein Leben unglaublich bereichert.

Danke an meine Kinder, Schwiegerkinder und Enkelkinder, dass ihr da seid und ich euch meine Rezeptsammlungen vererben darf.

Die Autorin

Ina Coelen-Simeonidis wurde 1958 am Niederrhein geboren, ist in Krefeld aufgewachsen, zur Schule gegangen und studierte hier Grafik-Design. Sie arbeitete für Werbeagenturen und Verlage, bevor sie sich selbständig machte und überwiegend fotografierte und Illustrationen anfertigte.

1999 begann sie Geschichten und Krimis zu schreiben, brachte Regionalkrimis und kulinarische Krimisammlungen heraus und organisiert seit 2001 die Krefelder Krimi-Tage. Sie ist Mitglied bei den Autorennetzwerken „Mörderische Schwestern" und „Syndikat".

2009 hat sie die griechische Küche kennen und lieben gelernt.

Seit 2014 führt sie mit ihrer Tochter und dem italienisch-deutschen Schwiegersohn ein Lesecafé mit Bistroküche im Zentrum von Krefeld.

Ina Coelen-Simeonidis im *Reisebuch Verlag* Reisebuch Verlag

Ganz Italien *genießen* Kochbuch

Rezepte und Geschichten

ISBN 978-3-947334-43-8

Gambia
ein Blick auf Afrika
Mario und Martina Steiner
Ab in den Himalaya!
Gretel Huber
Israel neu entdecken
ROM
REISEFÜHRER
Moritz Pieper
Balkan
Travis Elling
Berlin
anders
entdecken
Eine kurze Geschichte der Hauptstadt in 81 kuriosen Kapiteln
Algarve
erkunden
und
erleben
Ein ReiseJahrbuch
Catrin George
REISEFÜHRER
VALENCIA
Jürg Kugler
Willkommen in Vietnam
Mallorca ist anders, Ibiza erst recht
Hans v. Rotenhan
Brigitte Hilbrecht
Málaga
Die Hauptstadt der Sonnenküste
Griechenland
genießen
Kochbuch
Elke Menzel
MALLORCA
genießen
KOCHBUCH
Travis Elling
Andalusien
anders
entdecken
Reisen in Spaniens Süden durch Vergangenheit und Gegenwart
Hippie
Trails
Reiselegenden und ihre Geschichte
Detlef Fritz

Printed in Germany
by Amazon Distribution
GmbH, Leipzig

26461314R00134